「こころ」がわかる哲学

岡本裕一朗

nbb
日経ビジネス人文庫

はじめに◎「こころ」のマジカル・ミステリー・ツアーへようこそ！

「こころ」といえば、誰もがよく知っていますし、古くから多くのことが語られてきました。では、「こころ」について、すっかり分かっているかといえば、そうでもなさそうです。身近なところでは、家庭や学校、職場や近所づきあいなどで、トラブルに巻き込まれたことはないでしょうか。相手の言動に悩まされ、「この人の『こころ』って、どうなっているのだろう？」と思ったことは、少なくないでしょう。

あるいは、最近のＡＩ（人工知能）の進化を見ると、その能力に驚かされます。２０２２年11月に発表されたチャットＧＰＴに質問すると、わずか数秒で滑らかな文章で答えてくれます。あたかもコンピュータの向こう側に人間がいて、キーボードを打ち込んでいるような感じで、「ＡＩにも『こころ』はあるのだろうか？」と思いたくなります。

それと同時に、「そもそも人間に『こころ』があるとは、どんなことだろうか？」という疑問がわいてくる人も多いでしょう。

●「こころ」の理解が大きく揺らいでいる

たしかに「こころ」については、長年にわたって議論されてきたのですが、今日その常識が大きく揺らぎ始めているのです。

その理由は、現代が歴史的な転換期を迎えていることにあります。16世紀から形成されてきた近代社会が、根本から変わり始めているのです。

歴史をふり返ってみると、時代が大きく転換するとき、社会をとりまく科学技術の状況が根本的に変化しています。たとえば、中世から近代へと移行したとき、近代科学が形成されるとともに、羅針盤や火薬、活版印刷といった技術が発明されています。それによって、グローバルな経済活動が引き起こされたり、宗教改革が進展したり、近代国家が組織されたりしました。

そして、こうした時代の変化に呼応するように、哲学が活発に展開され、大陸合理論やイギリス経験論といった近代哲学が躍動しています。このとき、「こころ」についての理解が、大きく変わっています。

このような時代転換に匹敵することが、まさに今、進行しています。たとえば、20世紀後半に起こったIT（情報技術）革命やBT（生命技術）革命、また最近のニューロ・サイエンス（脳神経科学）の発展は、これまでの社会関係や人間のあり方を根本的に変えていきそうです。そのとき、「こころ」の理解にまで波及するのは、言うまでもありません。

詳しくは本論で説明しますが、たとえば脳科学の進展によって、人間の「こころ」が解明され、行動についても影響を与えることができるようになったとき、**「はたして『こころ』は自由なのか」**と、疑われることになるでしょう。

あるいは、現代の人工知能の研究者たちの予言によれば、人間の知性を超えるような「シンギュラリティ」が訪れたとき、人工知能の「こころ」があらためて提起されることになるでしょう。

こうした時代の大転換を迎えている今日、**これまで前提されてきた概念や考えは、ことごとく問いに付され、新たな理解が必要となります。**そのなかでも、いちばん中心にあるのが「こころ」に他なりません。しかし、どうして「こころ」なのでしょうか。

●具体的で現実的な「人類最大のテーマ」

2000年以上も前、「こころ」について論じた古代ギリシアの哲学者アリストテレスの『魂について（心とは何か）』では、「心はある意味で存在するもののすべてである」と語られています。というのも、「こころ」はどんなものにもかかわり、「こころ」を通してすべてのものが理解されるからです。

したがって、**すべてのものを検討するには、何よりもまず「こころ」を取り上げる必要があります。**

21世紀に入って、『マインド』を発表した現代アメリカの哲学者ジョン・R・サールは、なぜ「こころ」が現代の中心問題かについて、次のように述べています。

＊＊＊

二〇世紀の大部分においては言語哲学が「第一哲学」であった。（……）しかし、注目の的はいまや言語から心に移った。なぜか？

（サール『マインド』）

＊＊＊

サールは二つの理由を挙げています。一つは、『心』にかんする問題」が生物としてより根本的な次元にあるからというもの。もう一つは、「より現実的で、理論的で、建設的な哲学に向かうからというもの。つまり、**「こころ」の哲学は、生物の根本的な能力にかかわり、具体的で現実的なのです。**

今まで、哲学といえば、抽象的な理論が多く、専門外の人々には近づき難い印象がありました。また、それを学んだからといって、必ずしも現実的な有効性や応用の仕方は見えてきませんでした。

それに対して、「こころ」をテーマとする哲学は、具体的な事例や科学的な理論とかかわり、日常生活にもいろいろ適用できそうです。ぜひとも、自分の場合に置きかえて、我が事として考えることをおススメします。思わぬ発見があるに違いありません。

●過去への眼差しが未来を指し示す

また、どんな問題でも、時代的な背景や歴史的な変化を知ることは必要です。「こころ」については、哲学のなかで2500年間たえず議論されてきました。そのため、現代のみの視点だけでは、視野も狭くなりますので、歴史的な考察が欠かせません。現代と過去とを行き来すれば、未来への展望も開かれるのではないでしょうか。

バイオ・テクノロジーやニューロ・サイエンス、人工知能やロボットなどが、今後いっそう発展したとしても、過去の知恵は無効にはなりません。むしろ、過去への眼差しこそが、新たな未来の方向を指し示すように思えます。

ということで、この本を書いた意図について、少しばかりお話しさせていただきましたが、内容もそれに応じて過去から現代にまで及んでいます。

また、話題についても、**日常的な場面から科学技術の話**もしておりますので、目まぐるしくお感じになるかもしれませんが、むしろ楽しみながらいろいろな道を散歩するつもりで読んでください。

「哲学」だからといって堅苦しくお考えにならずに、「こころ」のマジカル・ミステリー・ツアーにぜひご参加ください！

２０２３年９月

岡本裕一朗

「こころ」がわかる哲学　目次

第1部　「こころ」の不思議、不思議な「こころ」

第1章　そもそも「こころ」は存在するのか

第2章 人間だけが「こころ」をもつか

第3章 人間に「こころ」はいくつあるか

第4章 悲しいから泣くのか、泣くから悲しいのか

第2部

見えない「こころ」を、みることができるのか

第7章 脳やDNAを見れば、「こころ」が分かるか

第3部

「こころ」はなぜ厄介なのか

第9章 「こころ」は感情を中心に回っている

第10章 「こころ」はタブラ・ラサ（白紙状態）か

第11章 「こころ」は分かり合えるのか

校正◎内田翔

本書は書き下ろしです。

第1部

「こころ」の不思議、不思議な「こころ」

「こころ」という言葉は、誰もがよく知っています。使うときも、とくべつ注意することはありません。ところが、子どもから「『こころ』ってどんなもの？」と尋ねられたら、すぐに答えが出てくるでしょうか。

「ほら、うれしいとか悲しいとか、そんなことだよ！」

でも、この言い方では、子どもだけでなく、答えた本人でさえ、納得しないでしょう。

たとえば、「『こころ』はどこにあるか？」と考えてみましょう。

胸の辺りに手を当て、「こころ」を思い浮かべるでしょうか。あるいは、現代人なら頭を指して「このなかだよ！」と言うかもしれません。

しかし、胸にあるのは「心臓」ですし、頭のなかにあるのは「脳」です。いずれも、「こころ」ではありません。また、自分の脳にしても、どうはたらいているかを直接見た人なんて、いないはずです。

そもそも、「こころ」は手に取ることができるモノではありません。外から覗くことさえできない、とも言われます。そうかもしれませんが、このとき「外から」とはどんな意味でしょう。

もともと、「どこにあるか?」「外から」という場所的な表現が、不適切なのかもしれません。こう考えると、本書を始める段階で、すでに途方に暮れてしまいます。


あらかじめ確認しておきますと、「こころ」については、明確な定義を前提した上で、話を進めることができません。「こころ」は誰もが知っている(と思っている)にもかかわらず、それが「どんなものか」を明確に規定できないわけです。

そこで、この第1部では、「こころ」を明確に定義するよりもむしろ、その不思議さに光をあてることにします。

一見、非常識な発想だと感じるかもしれませんが、よく考えてみると、「なるほど、『こころ』については、そんなことさえ疑問が生じるのか」とご理解いただけると思います。

この第1部では、不思議な「こころ」をさまざまご紹介します。「へえ、そんなこともあるのか」という気持ちで、学ぶというより楽しむことをおすすめします。

それでは、「こころ」のマジカル・ミステリー・ツアーに出かけましょう。

第1章　そもそも「こころ」は存在するのか

本書のタイトルは『「こころ」がわかる哲学』となっていますが、最初から異論や疑問が提出されるかもしれません。

一つは、「こころ」を理解するのに、はたして哲学が役に立つのか、という疑いです。哲学よりむしろ心理学、また最近では生理学や脳科学の方がずっとふさわしい、という人もいます。もう一つは、**そもそも「こころ」と呼ばれているものが、はたして存在するのか**、という疑問です。

私たちは普通、「こころ」は誰にでもあり、それぞれ自分自身で分かっているつもりです。ところが、「それってどんなものか？」とあらためて問い直されると、何ともアヤフヤになります。「こころ」は目に見えませんし、手でつかむこともできません。言ってみれば、幽霊のようなものです。そこで、哲学の出番となります。

「こころ」は、古代ギリシア以来哲学の重要なテーマになってきました。古代ギリシアの哲学者アリストテレスの『魂について（心とは何か）』と現代アメリカの哲学者ジョン・R・サールの『マインド』を手に取るだけで、「こころ」が哲学の歴史全体と重なることが分かります。

しかし、そもそも「こころ」は存在するのでしょうか。まず、この疑問から出発することにしましょう。

「こころ」の概念がない「対蹠人」という思考実験

いろいろ説明する前に、リチャード・ローティという現代アメリカの哲学者が出版した『哲学と自然の鏡』（1979年）を取り上げてみましょう。これは、近代以降の「こころの哲学」を検討した本として、彼の出世作となった著作です。

そのなかでローティは、「対蹠人《たいせき》」という概念を提唱し、次のような思考実験を示したのです。少し長いので要約しながら紹介します。奇妙な想定ですので、SF小説を読むようなつもりで、楽しんでください。

＊＊＊

遥か遠く、われわれの銀河系の反対側に一つの惑星があった。そこにはわれわれ地球人と似た生きものが住んでいた。彼らは羽がなく二本の足で立ち、家を建て爆弾をつくり、詩やコンピューター・プログラムを書いていた。それらの存在は、自分たちが心をもっていることを知らなかった。（……）彼らは、人間と人間ならざるものの違いを、「心」や「意識」や「精神」や何かそれに類した概念で説明しはしなかった。（……）この人類の言語・生活・テクノロジー・哲学はほとんどの点でわれわれ地球人のものによく似ていた。だが、重大な違いが一つあった。テクノロジーの上での躍進が一番最初に果たされた学問は神経学と生化学であり、人々の会話の多くは自分たちの神経の状態に関するものであった。子どもが灼熱したストーブに近づくと母親は声を荒げて「この子は自分のC繊維を刺激するだろう！」と叫ぶのである。（……）

21世紀の半ばに、地球の探検隊がこの惑星に着陸した。（……）「それに同行した」哲学者の考えによれば、この惑星の住民に関して最も興味深い点は、彼らには心の概念が欠落しているということであった。

（ローティ『哲学と自然の鏡』）

＊＊＊

ローティは、この惑星を「対蹠星（Antipodea）」と呼び、そこで暮らす人々を「対蹠人（Antipodean）」と名づけています。彼らは、地球の人類と「生理機構はほとんど同じ」なのに、地球の人類とは違って、「『こころ』の概念が欠落している」とされます。つまり、脳や神経までも含め、身体的なあり方がすべて同じなのに、「こころ」の概念を使って表現しないのです。たとえば、地球人だったら、「私はあなたを愛している」と口にするとき、対蹠人だったら「あなたは私に脳状態Xを与えた」と語るかもしれません。また、錯覚を引き起こす視覚的対象が見せられると、「これはニューロン束G－14を震わせる」と言うわけです。つまり、**地球の人類が「こころ」の表現として示すものを、生理学や脳神経科学の用語で語るわけです。**

ローティの対蹠人の記述を読むと、非現実的な想定のように感じるのではないでしょうか。しかし、20世紀末から始まった「脳科学ブーム」を考えると、あながち荒唐無稽な話として一蹴することはできません。最近の脳神経学の研究によれば、愛情といった「**こころ」のはたらきは、次のように説明されている**からです。

＊＊＊

脳の扁桃体によって調整されているテストステロンやエストロゲンといったホルモンが

「欲望」に関与している一方で、相手に引きつけられる「魅了」は報酬や快感などの感覚に対して重要な働きをしている側坐核と腹側被蓋野で決定されています。また、人が誰かに魅力を感じている時はドーパミンやノルアドレナリン、コルチゾールといった神経伝達物質が作用しており、「愛着」を感じている時はオキシトシンやバソプレシンというホルモンが優位に働いている状態です。

（[*Is love at first sight real?* | *Live Science*] https://www.livescience.com/is-love-at-first-sight-real）

＊＊＊

こうした説明は、現代では当たり前のようになっています。とすれば、地球の人類は、やがては「対蹠人」のようになってしまうように思えます。対蹠人とは、脳科学や生命科学の研究が進展した、未来の人間を示す言葉と言えそうです。

「カミナリさま」が迷信なら、「こころ」も迷信か

ここで何が問われているかを理解するため、少し違った視点から考えてみましょう。みなさんがよくご存じの「カミナリさま」です。

雷を神にたとえることは、日本だけでなく世界中で神話として語られてきました。ギリ

シア神話のゼウスは主神ですが、宇宙を破壊できるほど強力な雷を武器として、絶大なる力をもっています。日本でも、『古事記』以来、「雷神」はよく知られています。

とくに、日本の民間伝承では、「カミナリ（雷）さま」と呼ばれ、怖れとともに親しみを込めて語られてきました。「カミナリさま」は落ちては人のヘソをとる、という言い伝えは、ご存じなのではないでしょうか。このとき、雷は神の怒りとされ、「神鳴り」と理解されています。かつては「地震、カミナリ、火事、親父」が怖いものの代表でした。

しかしながら、今の子どもに、「カミナリさま」と言っても、理解されないかもしれません。もともと「親父」は怖い存在ではなく、カミナリと並べられても、ポカンとしているのがオチです。「雲の上にいるカミナリに、おヘソをとられるぞ！」と言おうものなら、そんなの迷信だよ、と一蹴されてしまいます。

たしかに、今日では雷の発生については科学的研究が発達し、物理的な自然現象として雷の発生メカニズムが解明されています。そのメカニズムは細部まで分かっているわけではないようですが、「上空と地面の間または上空の雷雲内に電位差が生じた場合の放電により起きる」とされています。そのため、雷の現状を理解し今後の予測を行なうには、何よりも物理的な気象状況を調べなくてはなりません。

ですから、こんにち、雷が鳴っているからといって、「カミナリさまが怒っている。おヘソをとられるぞ！」などと言おうものなら、子どもでさえも呆れてしまうでしょう。ところが、「こころ」について語っている私たちは、それと同じことをしているのではないでしょうか。

はっきりさせるために、「対蹠人」に登場してもらいましょう。彼らが地球にやってきて、地球人を見たとします。そうすると、自分たちと同じような生きものだと思うはずです。ところが、彼らと一つだけ違うのは、地球人が「こころの概念」を使っていることだったのです。

たとえば、一定の波長の光線がとび込んできたとき、地球人なら「この鮮やかな藍色は、私のこころを感動させる」と語ります。しかし、この表現は、対蹠人にとって理解できないものです。彼らの場合は、一定の波長の光が網膜上の細胞を刺激し、それが電気的な信号に変えられて、脳にまで伝えられ、「C－692の神経状態」になるわけです。このとき、「こころ」と言われるものが何なのか、分からないのです。

図示した方がはっきりしますので、対比しておきましょう（図1－1）。

かつて、自然現象について科学的研究が発達していない時期には、雷について語る際、

図1-1 「カミナリさま」も「こころ」も非科学的迷信？

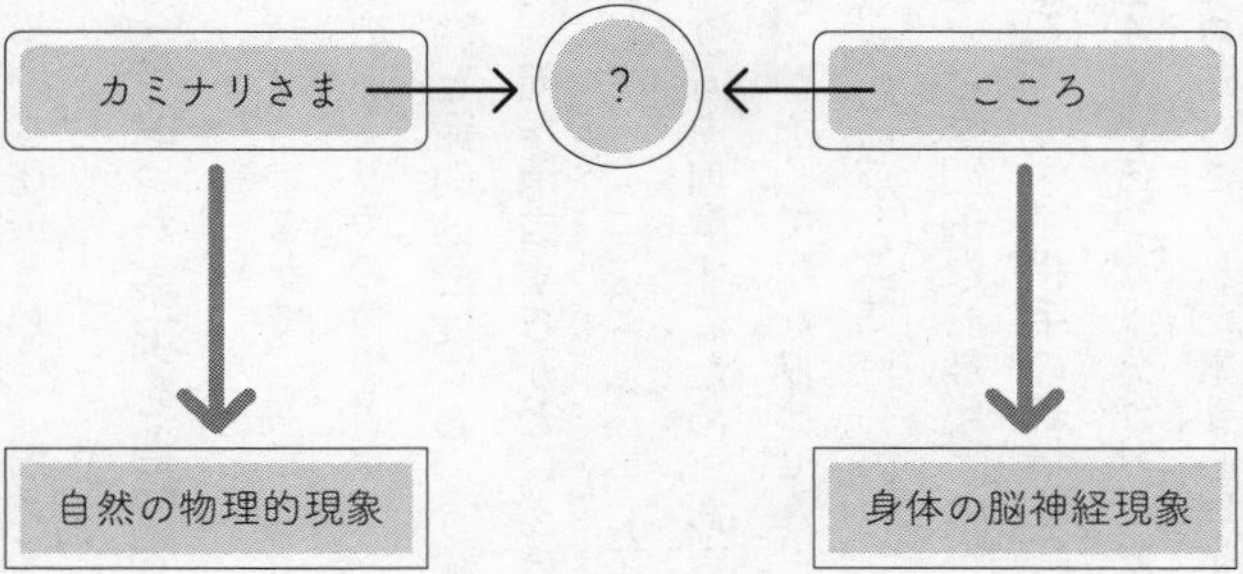

自然現象としてではなく、「カミナリさま」のような神話的な表現を使っていました。しかし、現在では、「カミナリさま」ではなく、自然の物理的な現象として語られます。

それと同じように、「こころ」もまた人間の身体にかんする科学的研究が発達していないときの、神話的な表現ではないでしょうか。脳科学や生化学がじゅうぶん発達するようになれば、もはや「こころ」を使って表現する必要がなくなり、対蹠人のように脳神経科学的な状態として記述することができそうです。

今まで「こころ」の概念で説明したやり方は、「カミナリさま」と同じように、やがて非科学的な迷信として、消えていく運命にあるかもしれません。

「こころ」を使った表現を消去する「消去主義」

地球の哲学者のなかで、対蹠人と同じ考えを提唱する人々がいます。その代表格が、カナダ出身のアメリカの哲学者ポール・M・チャーチランドです。彼は、1981年に「消去的唯物論と命題的態度」という論文を発表して、「消去主義」の哲学者として名を轟かせました。**何を消去するかといえば、「こころ」を使った表現です。**チャーチランドはどのようにして、「こころ」を使った表現を消去するのでしょうか。

彼のやり方を理解するため、あらかじめ「素朴心理学（folk psychology）」について、確認しておかなくてはなりません。この用語の考案者であるダニエル・C・デネットによれば、「素朴心理学とは、自分のこころと他人のこころについて『誰でも知っていること』」です。これは学問的な心理学とは違って、自分や他人の「こころ」について誰でもわきまえているものです。**相手の表情や行動を見れば、その人が怒っているのか、悲しんでいるのか、喜んでいるのかが分かり、またその後で何をするのかも分かります。**私たちは、子どものころからこうした素朴心理学を身につけているので、日常的な生活を滞ることなく営むことができるわけです。

このように、私たちは日常的に他人や自分の「こころ」について語り、その理解にもとづいて行動しています。それに対して、チャーチランドは次のように反対意見を述べるのです。

＊＊＊

消去的唯物論とは、心的現象に関するわれわれの常識的な考え方が一つの根本的に誤った理論を構成しており、その理論の基礎的な欠陥ゆえに、その原理のみならず存在論もまた、完成された神経科学によって円滑に還元されるよりはむしろ最終的に置換されるだろうというテーゼである。神経科学が完成した暁には、われわれの相互理解、そして内観までもがその概念的枠組みによって再構成されるかもしれない。われわれは、この神経科学の理論はそれが取って代わる常識心理学よりもはるかに強力で、物理科学一般とより実質的な統合をなすだろうと期待できる。

（チャーチランド「消去的唯物論と命題的態度」『心の哲学3』）

＊＊＊

念のため付言しておきますと、ここで想定されているのは、現在の理論水準ではなく、あくまでも「神経科学が完成した暁」という時点です。現状では、「神経科学が素朴心理学にとって代わるほどの成果を出してはいません。ですが、**将来的には科学的な進化が見込まれるのです。**

とはいえ、チャーチランドが想定した完成がいつ実現されるのかは、実際にはよく分かっていません。それどころか、はたして神経科学によって人間の「こころ」を解明され尽くすことができるのかさえ、はっきりしないのです。

もちろん、どんな科学的研究でも、完成に達することはできません。そのため、神経科学だけを否定的に考えることはできません。そこで、チャーチランドの方向性は認めて、人間の心的状態が神経科学によって解明される、と仮定してみましょう。

そのとき、**もはや「こころ」について言及する必要はなくなるのでしょうか。**

消去的唯物論については、さまざまな批判があります。ここでは、その批判を取り上げることはしません。むしろ、今見ておきたいのは、その考えがどこへ向かうのかということです。というのも、私たちはまさに、この道を歩みつつあるように思えるからです。

「哲学的ゾンビ」は〝癒やし〟も〝熱さ〟も感じない

デイヴィッド・J・チャーマーズというオーストラリア出身の哲学者が、１９９６年に出版した『意識する心』のなかで、「哲学的ゾンビ」という興味深い思考実験を提示しています。ちなみに、チャーマーズは1966年生まれですから、この本が出たのは30歳のころです。当時は、天才的著作と話題になりました。それにしても、「哲学的ゾンビ」というのは、どんなものでしょうか。

「ゾンビ」といえば、ホラー映画でよく登場しますのでご存じだと思いますが、チャーマーズが語るのは「哲学的ゾンビ」と呼ばれています。そのゾンビには、「こころ」（チャーマーズは「意識経験」と言う）が欠けているのです。チャーマーズは次のように描いています。

＊＊＊

私の双生児の片割れであるゾンビを考えてみよう。この生きものは、分子の一つひとつにいたるまで私と同一であり、ある完成された物理が要求する低レベルの事実に関してはすべて同一でありながら、彼には意識経験が完全に欠けている。考え方をはっきりさせるために、今ちょうど私は窓の外を眺めていて、木々を眼にすることで何だか素敵な緑感覚を経験し、チョコバーをかじっておいしい経験をしつつ、右肩に鋭い痛みの感覚を感じていると想像しよう。私のゾンビ双生児には何が起きているだろうか。彼は物理的には私と同一だから、われわれは同じように、彼が同一の環境に埋め込まれていると想像していい。彼は間違いなく、機能的に私と同一ということになるだろう。同じように情報を処理し、インプットに同じような反応の仕方をして、内部構成はしかるべく変更を加えられ、結果として見分けのつかない振る舞いをするはずだ。(……)こうした機能のどれを見ても、本物の意識経験は何ひとつ伴わないはずで、まさにそこがポイントである。

(チャーマーズ『意識する心』)

＊＊＊

あらためて繰り返すまでもありませんが、私とゾンビは、物理的にはすべて同一なので、窓の外を眺めて木々を眼にしたとき、同じような刺激が身体に与えられます。二人が違うのは、私の方は「素敵な緑感覚を経験」するのに対して、ゾンビ双生児はそうした意識経験がないことです。ひと言でいえば、ゾンビには「こころ」がないわけです。身体的な状態はすべて同一なのに、こころがあるかないかで異なります。

このように、チャーマーズが示した「哲学的ゾンビ」は、生物的・物理的には普通の人間とまったく変わらないのに、彼ないし彼女(あるいはそれ?)は意識経験(こころ)をもっていない、というわけです。たとえば、私はストーブに触れて「熱い!」と感じたり、木々の緑を「癒やしの緑」と感じたりしますが、そうした意識経験はゾンビにはありません。そのため、チャーマーズによれば、「ゾンビは、意識経験がない——中はただ真っ暗である」とされるのです。

「哲学的ゾンビ」などと言えば、何やら得体のしれないものを想像しがちですが、特別な生きものを指しているわけではありません。身体的には普通の人間と同じで、物理的な刺激に適切な形で対応することができます。科学者がその生きものを調べてみても、「私たちとすべて同じだ！」と言うでしょう。では、いったいどこが違うのでしょうか。

人間は「コウモリの視点」には立てない。では「他者の視点」には？

しかし、よくよく考えてみると、他の人が「哲学的ゾンビ」かどうか、つまり「こころ」をもつかどうかは、どうやって知ることができるのでしょうか。そもそも、「こころがある」とは、いったいどんなことなのでしょうか。おそらく、これが根本的な問題です。

それを考えるために、現代アメリカの哲学者トマス・ネーゲルの『コウモリであるとはどのようなことか』に注目してみましょう。

著者のネーゲルは、このタイトルと同名の論文を１９７４年に発表しているのですが、そのとき「〇〇であるとはどのようなことか（"What Is It Like to Be 〇〇?"）」という奇妙な言い回しが、話題になりました。これがヒントになりそうです。彼は次のように説明しています。

＊＊＊

根本的には、ある生物がおよそ意識をともなう心的状態をもつのは、その生物であることはそのようにあることであるようなその何かが——しかもその生物にとってそのようにあることであるようなその何かが——存在している場合であり、またその場合だけなのである。それは根本的には、その生物であるということはそのようにあることであるようなその何かが存在する、という意味なのである。

（ネーゲル『コウモリであるとはどのようなことか』）

＊＊＊

ちなみに、コウモリについては、その感覚器官が人間とはまったく違っていて、音響位置決定法（エコーロケーション）によって外部世界を知覚することが分かっています。自分で発射する高周波の叫び声と物体からの反射波との相互関係をとらえ、「距離、大きさ、形、運動、そして対象表面の材質」などを識別できるようです。これは、人間が視覚で行なうものに匹敵します。

このように、コウモリが外部世界をどのように知覚しているかは、科学的には解明されています。それにもかかわらず、「コウモリにとってどのようであるか」は想像することしかできないのです。そうした想像について、ネーゲルは次のように語っています。

＊＊＊

私に可能な範囲では、(……) そのような想像によってわかることは、私がコウモリのようなあり方をしたとすれば、それは私にとってどのようなことであるのか、ということにすぎない。しかし、そのようなことが問題なのではない。私は、コウモリにとってコウモリであることがどのようなことなのか、を知りたいのである。だが、それを想像しようとすると、私の想像の素材として使えるものは私自身の心の中にしかなく、そのような素材ではこの仕事には役に立たないのだ。(同書)

＊＊＊

ここでネーゲルは、「コウモリ」を例にとって、それぞれの生物の意識世界について語っています。そこから彼は、コウモリの視点に立った理解が人間には不可能である、という主張を展開するわけです。

それだけではありません。コウモリにとって、意識世界があるのかどうかは別にして、

この議論は人間同士の関係にも波及するからです。

そもそも、私は他の人の意識世界を知りえるのでしょうか。私が知ることができるのは、あくまでも私の意識世界にすぎず、他の人については、コウモリと同じではないでしょうか。ネーゲルによれば、「異種の生命の場合だけ起こるのではない。ひとりの人間と他の人間の場合にも存在するのである」。

たとえば、私が赤い色を見るとき、「６５０ナノメーターの波長の光線が眼に刺激を与えた」と語ることができるでしょう。そこからさらに、視細胞や視神経、さらには大脳にまでつづく流れを説明できます。しかし、どれほど科学的に説明されても、私に「感じられているこの赤さ」は体験できません。とすれば、「コウモリであるとはどのようなことか」が不可解であるのと同じように、**「私であるとはどのようなことか」も他の人には不可解**ではないでしょうか。

こう考えていくと、「コウモリ」どころか、人間同士でさえも、「こころ」については不可解と言うほかありません。「こころ」について私たちは、いったいどこまで知りえるのでしょうか。

本章のポイント

- ●「こころ」のない対蹠人
- ●常識的に備えている素朴心理学
- ●消去的唯物論という科学主義
- ●哲学的ゾンビという思考実験
- ●「コウモリであるとはどのようなことか」という表現

第2章　人間だけが「こころ」をもつか

ここまで「そもそも人間に『こころ』はあるか」という問題を考えてきました。常識的に言えば、「そんなのは当たり前だろう！」と一蹴されそうですが、あらためて問い直してみると、ハッキリしなくなってきました。ＭＲＩにかけて脳画像を見ると、間違いなく脳活動は確認できます（ただ、これもディスプレイ上に映された、人工的な画像ですが）。また、その人の言動を観察しても、よほどのことがなければ、「『こころ』がない」とは言わないはずです。

それにもかかわらず、「『こころ』がある」と言うことには、どうしてもためらいが残ります。行動的、生理学的・脳神経学的にどんなに確かめたところで、その人の「こころ」がどうなっているかをとらえたわけではありません。もしかしたら、他の人は「こころ」

を欠いた、内面が空っぽの「哲学的ゾンビ」かもしれない、と見なすこともできるのです。あなたは、そんなゾンビに出会ったことはありませんか？　電車のなかでも、会社でも、家庭でも「哲学的ゾンビ」だらけ――こう思うと、生活も楽しめます。

この章では、逆の側面から考えることにします。いったんは「人間のこころ」を前提した上で、**人間以外のものの「こころ」はどうなのか、を問い直す**ことにします。たとえば、植物には「こころ」はあるのか、動物には「こころ」はあるのか、という問題です。最近では、ＡＩ（人工知能）やロボットまで「こころ」があるか、と問われます。

そもそも、いったい何が（あるいは誰が）、「こころ」をもつのでしょうか。

「こころ」があるかないかは、「こころ」の定義で異なる

このような疑問に対して、もしかしたら「植物に『こころ』があるなんて、考えられない！」と答える人が多いかもしれません。あるいは、「ＡＩやロボットに『こころ』を想定するのは、ハリウッド映画の世界で、現実には不可能だ」と考えるかもしれません。しかし、どうしてそんなことが言えるのでしょうか。

注意するまでもありませんが、「『こころ』をもつのは人間だけだから」と答えるとすれ

ば、これは結論をあらかじめ前提しているにすぎません（論理的には「論点先取の誤り」と呼ばれます）。「『こころ』をもつのは人間だけである」（前提）↓「（人間ではない）植物やAI、ロボットは『こころ』をもっていない」というわけです。これは、**「トートロジー」（同語反復）にすぎません。**

ここで尋ねているのは、「『こころ』をもつのは人間だけである」というのは本当なのか、ということです。もう一度言いますが、「『こころ』は人間以外のものにはない」、と考えられるのでしょうか。たとえば、家に帰ったとき、しっぽを振って喜んでいる（ように見える）「タロウ（ペットの犬）」に、「こころ」はないのでしょうか。けがをして苦痛に喘いでいる（ように見える）動物園のゾウに、「こころ」はないと言えるのでしょうか。カエルや魚に、「こころ」はないのでしょうか。単細胞生物のアメーバはどうでしょうか。ネーゲルの場合は、それがどんなものか私たちにアクセスできないとしても、「コウモリ」にも「こころ」があると想定されていました。

すでにお気づきだと思いますが、「『こころ』があるかないか」という問いは、「こころ」をどういうものと考えるか、つまり「『こころ』の（漠然とした？）定義」によって変わります。たとえば、『広辞苑』では、「こころ」を、「人間の精神作用のもとになるもの。

また、その作用」と規定しています。この定義にもとづけば、「こころ」は最初から人間に限定されることになるわけです。

しかし、「こころ」を考えるとき、はたしてこうした人間中心主義でいいのでしょうか。

面白いのは、「こころ」について論じた歴史上最初の哲学書（アリストテレスの『魂について（心とは何か）』）が、「こころ」を人間だけに限定していないのです。アリストテレスは、「こころ」を植物や動物にも想定するだけでなく、それらを連続的な形で理解しているのです。

古代のアリストテレスは植物にも動物にも特有の「こころ」があると考えた

「こころ」について、アリストテレスが解明するとき、あらかじめ次のような注意を与えることから始めています。

＊＊＊

今日、心について語り、また探究している人びとは、ヒトの心ばかりを探究しているようにみえる（……）。

（アリストテレス『心とは何か』）

＊＊＊

驚くことに、この注意書きは２５００年ほど経った現在でも当てはまります。逆に言えば、アリストテレスの時代でさえも、「こころ」といえば「ヒトのこころ」を論じるのが通例だったわけです。

この社会的な通念に対して、哲学者であるアリストテレスはあえて異を唱え、「こころ」を人間以外にも広げていったのです。アリストテレスにとって、「こころは生物の原理である」とされます。つまり、人間だけでなく、すべての生物が、「生きている」と言われるとき、その原因（原理）となるもの――それが「こころ」と呼ばれています。「こころ」に当たるギリシア語は「プシュケー（Ψυχή）」ですが、これはもともと「息（呼吸）」を意味し、生命の原理となるものです。ですから、**植物・動物・人間のいずれにも、生きているものとして「こころ」があるわけです。**

このとき、アリストテレスの考えでは、自然全体の階層が想定されています。いちばん下は無生物ですが、これには「こころ」がありません。「こころ」が備わるのは、その上の植物、動物、そして最上の人間です。

しかし、同じ「こころ」といっても、植物や動物や人間では、「こころ」のあり方は違っています。アリストテレスによれば、植物の「こころ」には、栄養摂取の能力があり、ま

図2－1　アリストテレスは「こころ」を人間以外にも広げた

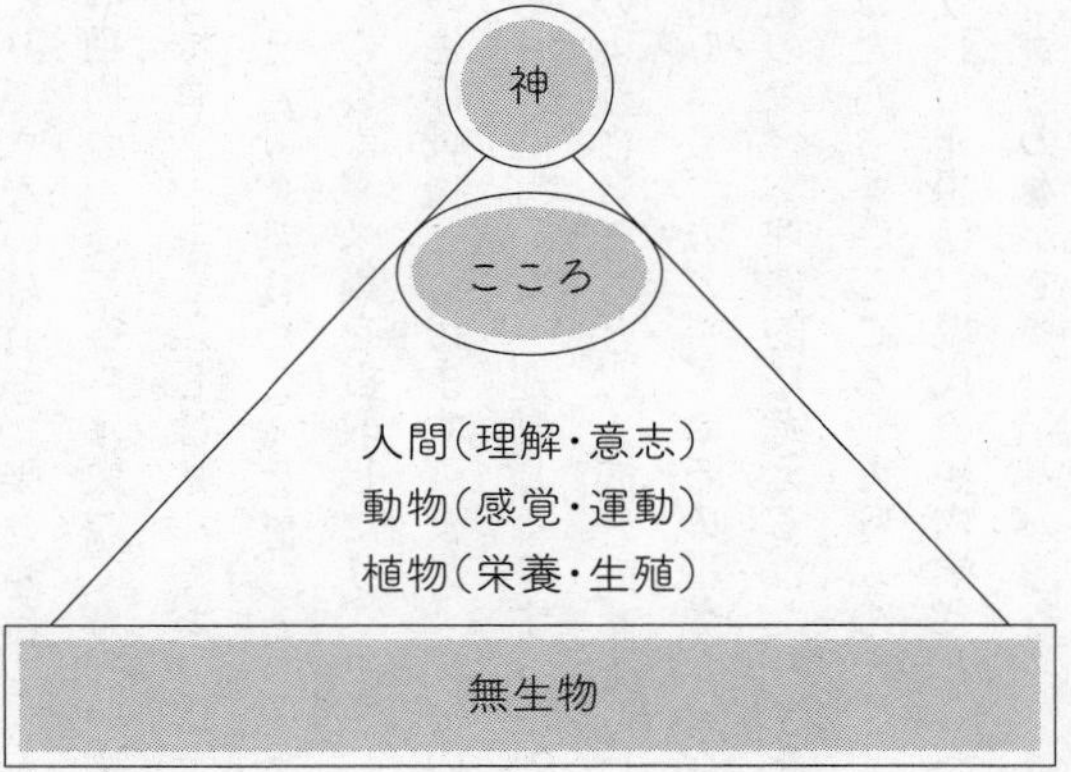

た生殖の能力も備わります。動物の「こころ」としては、さらに感覚と運動の能力が備わっています。人間の「こころ」は、「理性（ヌース）」と呼ばれ、それらの能力に加えて、理解や意志の能力をもっています。図示すると、図2－1のようになります。

「こころ」を階層的にとらえるとき、ポイントになるのは、**上のものには下のものの能力が含まれること**です。動物には感覚・運動の他に、栄養・生殖も含まれます。人間の場合は、それに加えて、理解や意志といった理性の能力も含まれます。

生命をもつもの全体に「こころ」を階層的に考えることは、現代でも失われてはいません。たとえば、人が交通事故にあって、「植物状態になった」とされるとき、話したり、動いたりできないけれど、栄養を摂取したり、呼吸することはできるからです。つまり、人間や動物の「こころ」は失っても、植物の「こころ」は残っているわけです。

ここでコメントを差しはさんでおけば、植物の「こころ」という場合、植物が人間のように考えたり、動物のように感じたりすることではありません。植物に特有の「こころ」のはたらきは、栄養を摂取したり、生殖したりすることです。これは、植物の生きものとしての生存戦略と言えます。また、動物の「こころ」というのも、動物にとっての生存戦略であり、感覚したり運動したりする能力です。

このように考えると、人間と同じように植物や動物にも、「こころ」を想定することは可能でしょう。**ただ、こころの種類が異なるわけです。**

人間の場合、理性的に考えるはたらきを「こころ」と呼ぶのに対して、動物や植物では他のはたらきを「こころ」と呼ぶのです。

こうした発想は、現代の植物学者と変わらないと思います。たとえば、『植物のこころ』(2001年)のなかで植物学者の塚谷裕一は、次のように語っています。

＊＊＊

私は、植物が「生きている」ことに対して露ほどの疑念も抱いてはいない。植物に知性や感情がなくとも、いきいきと生きていることには、間違いがない。私は、植物とは感情のやり取りをする間柄ではないが、植物が生を宿していることを尊重する気持ちには、揺るぎがない。人はしばしば「生きている」ということと、「感情のやり取りができる」ということとを、直接イコールで結びがちなようだ。しかしそれは違う。生きていることと、感情のやり取りができることとの間には、かなりの飛躍がある。（塚谷裕一『植物のこころ』）

＊＊＊

アリストテレスの「こころ」の理解に立てば、この植物学者の発言には、全面的に賛同できるのではないでしょうか。植物が「生きている」、つまり植物の「こころ」は、人間の知性や動物の感覚とは違っているからです。けれど、人間とは違うからといって、動物や植物の「こころ」を否定する必要はありません。

近代のデカルトは「こころ」と「身体」を分断して考えた

しかしながら、アリストテレス的な「こころ」の理解は、近代になるとまったく変わってしまいました。あるいは、こうした伝統的な理解に対して、全面的に挑戦したのが近代の哲学者だった、と言えるでしょう。

その理由を確認するため、まずは17世紀フランスの哲学者ルネ・デカルトの『省察』を取り上げることにします。この書は、デカルトの哲学的な宣言書と言えます。そのなかで彼は、**人間の「こころ」と「身体」をまったく異なるもの**（「実体」）と見なし、次のように説明しています。

＊＊＊

おそらく私は、私にきわめて緊密に結合した身体をもつとしても、（……）私が、私の身体から実際に区別され、身体なしにも存在しうることは確実である。

（デカルト『省察』）

＊＊＊

デカルトによれば、一方で私は「延長するものではなく、単に考えるもの」ですが、他方で身体としては「考えるものではなく、単に延長するもの」とされます。身体は「物体」と同じく「コルプス（corpus）」であり、延長する実体とされます。それに対して、「こころ」の方は、考える実体であり、身体からはまったく切り離されているのです。

このように、人間の身体を「こころ」から分離することによって、身体は一種の機械として理解されることになります。デカルトは人間を創造した神を前提しながら、次のように述べています。

＊＊＊

私は、身体を、神が意図してわれわれにできる限り似るように形づくった土〈元素〉の像（statue）あるいは機械にほかならないと想定する。したがって、神は、その外側にわれわれのすべての肢体の色と形を与えるばかりでなく、その内部には、それが歩いたり、食べたり、呼吸したりするのに必要な、つまりわれわれ人間の機能のうちで物質に由来し、器官の配置にのみ依存すると考えられるすべての機能を模倣するに必要な、すべての部品を据え付けるのである。

（デカルト『人間論』）

＊＊＊

人間が機械を作るとき、さまざまな部品（素材）が利用され、そこから「自分自身でさまざまな仕方で動く力をもっているもの」が生み出されます。それと同じように、**神は人間を、いわば機械として制作**したわけです。そのため、「神の手になると想定されるこの機械には、たくさんの運動があり、たくさんの仕掛けが帰せられる」と言われます。

こうしたデカルトの人間像について、現代の哲学者ギルバート・ライルは、「機械のなかの幽霊（Ghost in the machine）」と呼びました。

アリストテレスの伝統では、生命のあるものと生命のないものが峻別され、人間のこころは植物、動物のこころから連続的に理解されてきたのですが、デカルトは人間のなかで「こころ」と「身体」を分断し、それぞれを別個のものと見なすわけです。

これにともなって、動物や植物は人間の身体と同じように「物体」と見なされ、一種の機械と考えられます。つまり、動物も植物も、「こころ」がない単なる「自動機械」と見なされるのです。

「動物には知性はないのか」という質問に対して、デカルトは次のように、きっぱりと答えています。

＊＊＊

動物がわれわれよりも多くのことを行なうことを私はじゅうぶん知っているが、（……）ひとりでに時計のような仕掛けで行動しているのである。時計はわれわれの判断よりも正確に時を示してくれる（……）。

（デカルト「ニューカッスル侯宛書簡」）

＊＊＊

そこで、デカルトの身体観、そして生物観、さらには「こころ」に対する見方を明確にするため、図示しておきましょう（図２－２）。デカルトにとって、植物や動物、さらに

図2-2　デカルトは「こころ」と「身体」を別個のものと見なした

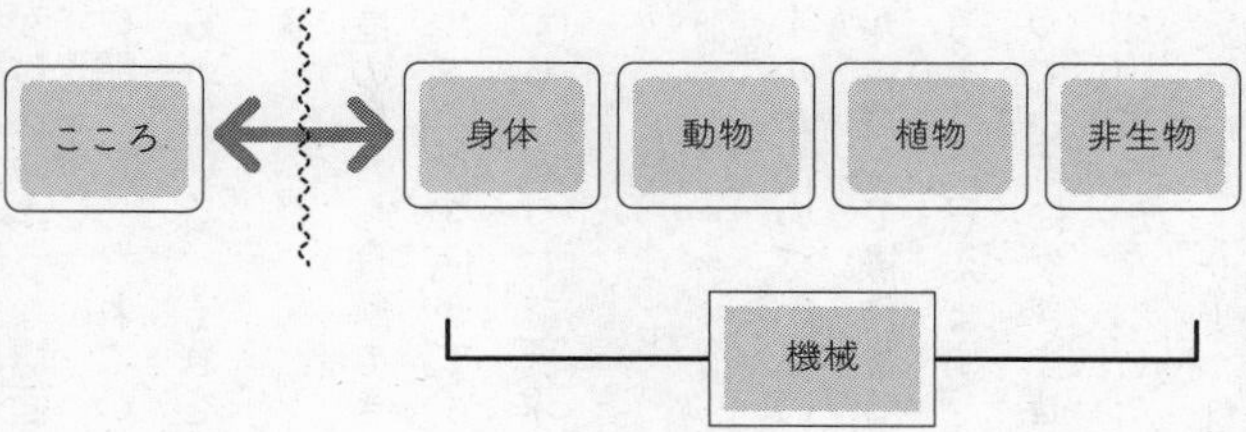

は人間の身体は、非生物と変わらず、単なる「物体（corpus）」に他なりません。

AIは「こころ」をもつのか

今度は、現代に視点を移し、AIが「こころ」をもつかどうかを考えてみましょう。そのために、アメリカの哲学者ジョン・R・サールが提示した有名な思考実験「中国語の部屋」を見ておきます。

サールはこんな話を、仮想的な事例として語っています。

＊＊＊

事実の問題として、私はまったく中国語がわからない。中国語で書かれたものと日本語で書かれたものを区別することさえできない。しかし次のような場面を想像してみよう。私は中国語の記号がはいった箱をもってある部屋に閉じ込められている。私にはルールブック、要するにコンピュータ・プログラムが与えられている。それを使えば、私は中国語で出題される質問に答えることができるという次第。

私は、部屋の外から理解できない中国語の記号を受けとる。それが質問だ。私は、用意されたルールブックを使って、箱から記号を拾い上げ、その記号をプログラムのルールに従って操作する。そうして要求された記号を質問にたいして返せば、それは回答だと解釈される。

（サール『マインド』）

＊＊＊

ここでサールが描いているのは、**中国語をまったく理解できないにもかかわらず、与えられたルールに従って操作すること**です。それは、部屋の外から見ると、あたかも中国語が理解できるように思えます。もちろん、私が中国語を理解しているわけではなく、単にルールに従っているにすぎません。この思考実験で、サールとしては、コンピュータやAIが何をしているのかを示したかったようです。

この思考実験から、サールは「弱いＡＩ研究」と呼ばれる立場を導出しています。「弱い AI」と「強いAI」というサールの言葉は、しばしば誤解されますので、意味を確認するために、煩を厭わずに引用しておきます。

＊＊＊

私が「強い」AI研究と呼ぶものと、「弱い」あるいは「慎重な」AI研究と呼ぶものを区別することが有意義であるように思われる。弱いAI研究の立場では、心の研究においてコンピュータがもつ主要な価値は、それがわれわれに非常に有用な道具となることである。(……) これに対して、強いAI研究の立場では、コンピュータはもはや単なる心の研究の道具ではない。むしろ、適切にプログラムされたコンピュータは、実際、心にほかならない。(サール「心・脳・プログラム」)

＊＊＊

ここで、サールが区別する二つの立場を図示しておくことにしましょう(図2－3)。サールが明言しているように、彼の考えは「弱いないし慎重なAI研究」の立場で、コンピュータがどんなに進化しても、所詮は「こころのない単なる道具」というわけです。これは、ある意味では常識的な立場かもしれません。コンピュータは「こころのある人間」が作った、単なる機械であって、二進法の計算をしているにすぎない、と言われます。

図2-3 サールは二つの立場を区別した

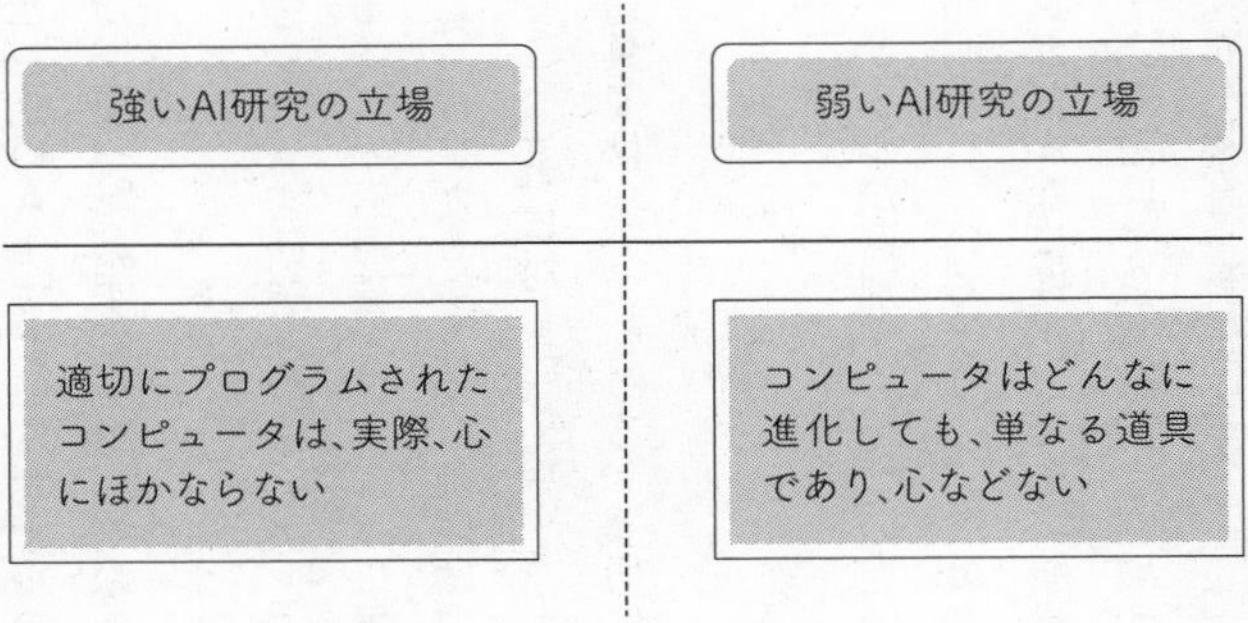

強いAI研究の立場	弱いAI研究の立場
適切にプログラムされたコンピュータは、実際、心にほかならない	コンピュータはどんなに進化しても、単なる道具であり、心などない

言葉の意味など理解できない、と強調されたりします。

しかし、チャットGPTなどの最近のAIの進化を考えると、はたしていつまで「弱いAI研究」の立場を維持できるか、分かりません。サールは「AI（人工知能）」という言葉を確立したジョン・マッカーシーについて、次のような興味深い話を語っています。

＊＊＊

ジョン・マカーシーは「人工知能」という表現の発明者ですが、デジタル・コンピュータの側に立ってなされた誇張的発言の中で私が一番好きなまとめ方をしています。彼は、結局「サーモスタットほどに単純な機械ですら信念を持つ」とまで述べています。実際、彼によれば、問題解決の能力を持つならばいかなる機械も信念を持つということができるそうです。

（サール『心・脳・科学』）

＊＊＊

ここでサールは、「強いＡＩ研究」の立場をやや皮肉交じりに語っています。ところが、この考えを自分の哲学として積極的に打ち出すのが、アメリカの哲学者のダニエル・Ｃ・デネットです。そこで、デネットの議論を確認しながら、そもそも「こころ」をどう考えるか見ることにしましょう。

現代の最先端哲学が描く、さまざまな種類の「こころ」

デネットは１９９６年に出版した『さまざまな種類のこころ』（邦訳『心はどこにあるのか』）のなかで、次のように語っています。彼は、「志向的なシステム」という概念を使って、生物も無生物も連続的に理解する理論を打ち出すのです。

＊＊＊

志向的なシステムとは、定義上、志向的な構えからその動きを予測したり説明したりすることができるすべてのものであり、かつ、それらにかぎられる。自己再生する巨大分子からサーモスタット、アメーバ、植物、ネズミ、コウモリ、人間、そしてチェスをするコンピュータまで、すべて志向的なシステムである。

（デネット『心はどこにあるのか』）

＊＊＊

たとえば、あなたがコンピュータを相手に、チェスをしていると想定してみましょう。このとき、あなたはどう考えているでしょうか。デネットの『思考の技法』によると、次の三つのポイントが指摘されています。

あなたは、コンピュータが、

①チェスのルールを「知って」おり、チェスの「やり方も分かっている」し、

②勝ち「たいと思っている」し、

③可能性を可能性として捉え、チャンスをチャンスとみなし、それに従って（つまり合理的に）チェスを打つだろう

というきわめて明確な仮定の下で、自信をもって予測する。

つまり、「コンピュータを上手なチェスの指し手である」と想定しているのです。簡単に言えば、「コンピュータをあたかも『こころ』をもつ人間であるかのように取り扱っている」わけです。

このように考えることができるものを、デネットは「志向的なシステム」と呼ぶわけです。「志向的（intentional）」という言葉は、通常、人間に使われるのですが、デネットは動物や植物にも、さらには無生物にも広げています。

「志向的システム」として理解されるとき、それは「行為主体（agent）」と見なされます。サーモスタットも、ＡＩも行為主体なのです。

デネットによれば、こうした「主体が行為するときには、つねに、環境にかんする特定の理解（または誤解）に基づいている」とされます。チェスをする人間がコンピュータの戦略を理解（or誤解）して「主体」として行動するように、コンピュータも人間の打つ手を理解（or誤解）して「主体」として行動するわけです。

こう考えると、デネットの著作の原題がどうして『さまざまな種類のこころ（*Kinds of Minds*）』となっているのか、理解できるのではないでしょうか。

＊＊＊

世界には、人間の心だけでなく、さまざまな心があり、そのさまざまな心について問う方法は多岐にわたる。(……)わたしたちの心は複雑な織物である。さまざまな糸を用いて、さまざまな模様が織り込まれている。心を構成するさまざまな要素のなかには、生命誕生の昔から存在するものもあれば、最新のテクノロジーと同じように新しいものもある。わたしたちの心は、多くの点で他の動物の心とよく似ているが、別の点ではまったく違っている。

(デネット『心はどこにあるのか』)

＊＊＊

こうして、**古代ギリシア時代のアリストテレスから現代のデネットまで、人間以外のものにも「こころ」を想定することができるのです**。それに対して、近代ではとくに、人間だけに「こころ」を限定する方が主流でした。これは近代が、「ヒューマニズム(Humanism)」や「人間中心主義(Homo-centrism)」をとったことと関係しています。

しかし、20世紀の後半からのテクノロジーや科学の進展によって、こうした**「人間主義」は過去のものになりつつあります**。

本章のポイント

- 植物の「こころ」、動物の「こころ」、人間の「こころ」
- 「こころ」と「身体」の二元論
- 機械のなかの幽霊
- 中国語の部屋
- さまざまな種類の「こころ」

第3章 人間に「こころ」はいくつあるか

「あなたには『こころ』はいくつありますか」——こう問われたらどう答えるでしょうか。奇妙なことを聞くものだ、と怪訝な顔をするだけかもしれません。

というのも、たいていは、「一つに決まっている」と考えているからです。太郎には太郎の「こころ」、花子には花子の「こころ」がある、というわけです。これを**「人格の同一性」**とか**「アイデンティティ」**と呼びます。

しかし、あらためて問い直してみると、「太郎の『こころ』は、本当に一つ」なのでしょうか。

たとえば、**太郎が仕事をしているときと、ギャンブルをしているときでは、まったく違った人物に見えます。**最初は優しいと思えた人も、長くつきあってみると意地悪な部分が見えてきます。このとき、どちらかが本当の「こころ」で、他はにせものの「こころ」なのでしょうか。それとも、その人には「二つのこころ」があるのでしょうか。

とはいえ、ここで根本的な疑問が浮かぶかもしれません。**「そもそも、『こころ』は一つとか二つというように、数えることができるのか」**ということです。リンゴやミカンのようなモノであれば数えることもできますが、「こころ」の場合は違います。こころを「一つ」としてまとめる「アイデンティティ」なんて、あるのでしょうか。それとも、「こころ」にはさまざまな単位（アイデンティティ）があって、複数として数えることも可能なのでしょうか。考え始めたら疑問がつきません。

この章では、できるだけ抽象的な話にならないように、具体的な症例などを示しながら、考えることにしましょう。

ピランデッロ劇『（あなたがそう思うならば）そのとおり』

話の導入として、イタリアのノーベル賞作家ルイージ・ピランデッロの戯曲を紹介することにしましょう。ここで取り上げるのは、１９１７年に発表された『（あなたがそう思うならば）そのとおり』という作品です。何とも奇妙なタイトルですね。しかし、どうしてこの演劇が問題なのでしょうか。

ドイツの哲学者マルティン・ハイデガーの弟子で、カール・レーヴィット（1897－1973年）という哲学史家がいます。彼はユダヤ系だったので、ナチスの台頭にともなってドイツを出国しました。一時期、日本でも教鞭をとっていたのですが、その後アメリカに渡りました。

そのレーヴィットが、日本に来る以前の1928年に、『共同人の役割における人間』（邦訳『共同存在の現象学』）という著作を発表しています。この書で彼は、ピランデッロの作品を詳細に検討して、自らの考えを提示したのです。そこで、ピランデッロの作品とレーヴィットの思想を対比することで、問題の所在を確認することにします。

まず、ピランデッロの演劇ですが、簡単にあらすじをまとめておきます。登場人物は、参事官のポンザ氏とその妻のポンザ夫人、および姑のフローラ夫人の三人が基本です。この三人が、いったい何を引き起こすのでしょうか。以下は簡単なあらすじです。

最近、ある町にポンザ氏とポンザ夫人、そしてフローラ夫人が引っ越してきた。その町では、三人の奇妙な行動が話題になっていた。まず、ポンザ氏は妻とフローラ夫人を別々のところに住まわせ、二人が直接に顔を合わせないように監視している。また、ポンザ夫人は外出することがなく、夫のポンザ氏が買い物をしている。こうした状況を不審に思った町の人たちが、三人の関係を問いただしたのである。

それに対して、ポンザ氏は次のように答える。

「フローラ夫人の娘（リーナ）が数年前に死んだとき、夫人はショックのあまり狂気に陥り、娘の死を受け入れることができなかった。私（ポンザ氏）は再婚したのだが、フローラ夫人は二番目の妻（ジューリア）を自分の娘だと思い込み、それによって何とか落ち着いている。そのため、夫婦で相談してフローラ夫人の妄想に合わせている」

ところが、フローラ夫人はまったく異なる説明をする。

「狂気に陥っているのは、ポンザ氏のほうだ。ポンザ氏は妻が死んで再婚したと思っているが、実際には死んでおらず、再婚の相手はフローラ夫人の実の娘、つまりポンザ氏の最初の妻（リーナ）にほかならない。私（フローラ夫人）は娘と相談して、ポンザ氏の妄想に合わせている」

この二人の説明から判断して、ポンザ夫人はいったい誰であろうか。

この話が悩ましいのは、ポンザ氏の説明もフローラ夫人の説明も、**それぞれ整合的に見えることです。**

ポンザ氏の説明では、現在の妻はジューリアであり、フローラ夫人の娘ではありません。それにもかかわらず、フローラ夫人の妄想に合わせるために、彼女の娘リーナであるようにふるまっているのです。他方、フローラ夫人によれば、現在のポンザ夫人は実の娘(リーナ)なのですが、ポンザ氏のために他の女性(ジューリア)であるようにふるまうわけです。こうして、いずれの説明も納得できますから、他の人たちがこの状況を見たとき、どう判断していいのか分からないわけです。

そこで、町の人たちはポンザ夫人を引っ張り出して、「本当」のことを聞き出そうとするのですが、はたしてポンザ夫人に尋ねて「本当」のことが分かるのでしょうか。ポンザ夫人の言葉が何とも意味深なのです。

＊＊＊

「なんですか? 真実ですか? それはこうです。私は、はい、フローラ夫人の娘です」。これを聞いて、一同満足して「ああ!」と言ったのだが、その後にポンザ夫人は「そして、ポンザの二度目の妻です」と続けたのだ。そこで一同がっかりして、「おお! そんな!」

とささやいた。そこで、ポンザ夫人はこう述べる。「はい、わたし自身は誰でもありません！　誰でもないのです」。（ピランデッロ『（あなたがそう思うならば）そのとおり』）

＊＊＊

ピランデッロ劇のこうした結末は、人を煙に巻くような印象を与えますが、その真意はどこにあるのでしょうか。レーヴィットの解釈と合わせて、あらためて考え直すことにしましょう。

「こころ」は役割によって変わるものか

ピランデッロ劇に対して、レーヴィットは次のような総括的な表現で述べています。やや分かりにくいかもしれませんが、後で説明しますので、そのまま引用しておきます。

＊＊＊

生の諸関係における人間は、純粋で裸の「それ自体」ではなく、関係にそくした有意義性という形式にあって——ペルソナとして——現れる。この認識が、ピランデッロの全芸術作品における偏執的な根本思想である。（レーヴィット『共同存在の現象学』）

＊＊＊

ポンザ夫人は、フローラ夫人にとっては娘（リーナ）ですが、ポンザ氏にとっては二番目の妻（ジューリア）です。それでは、この「〜にとって」という関係抜きに、ポンザ夫人その人は、あるいは「自分自身（ポンザ夫人）にとってのポンザ夫人」はどういう存在なのでしょうか。

常識的に考えると、これこそが「（本当の）ポンザ夫人とは誰か？」という問いへの答えになりそうです。ところが、ピランデッロは、**こうした他人との関係をまったく除外した、「純粋で裸の個人」そのものは存在しない**、と語るのです。

このピランデッロ劇から、レーヴィットが導くのは、「人間的な個体はペルソナという存在の仕方を有する個体であり、本質的に、共にある世界に由来する一定の役割を帯びて現実存在している」ということです。その意味をどう理解したらいいのでしょうか。

たとえば、私が息子であるのは、両親にとってであり、夫であるのは妻に対してであり、父であるのは子に対してです。また、教師であるのは学生にとってであり、部下であるのは上司にとってであり、著者であるのは読者に対してです（図3-1）。

つまり、「総じて根本的には、対応する他者たちによって自分自身として現実存在する」わけです。ここまでが、ピランデッロに寄り添いながら、レーヴィットが考えを表明する

図3-1 「自分自身」は他人との関係のなかで現実存在する

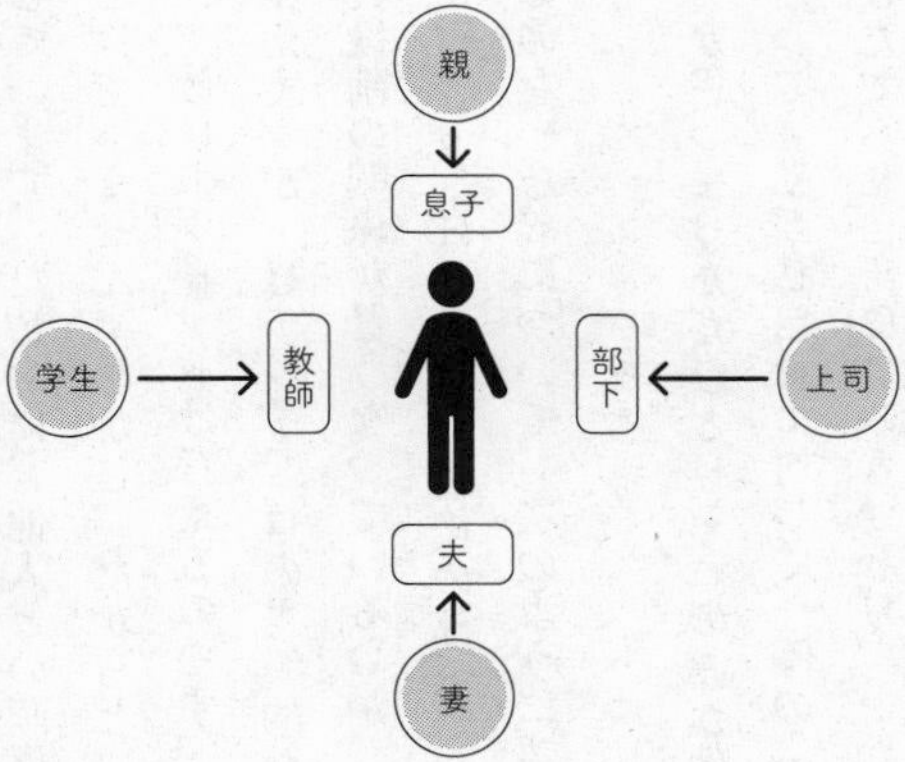

ものです。

ところが、ピランデッロの考えを示した後で、レーヴィットはピランデッロから距離をとるのです。では、ピランデッロとレーヴィットでは、どこが違うのでしょうか。

一方のピランデッロにとっては、劇のタイトルにもなっているように、「他人がその人をどう見るか」がすべてです。そうした他人からの見方を離れて、その人を規定することができません。そのため、私のあり方は、他人が私を何者と見なすかによって変わります。それぞれの人は、他人に対してそのつど「役割」を遂行するのです。

私は、そうした「役割の束」と規定されな

くてはなりません。
それに対して、レーヴィットは「役割」の意義を認めつつも、個人の自立性を確保しようとしています。たしかに、他人との関係を離れ、「役割」を無視して「個人」を規定することはできません。しかし、だからといって、「個人」がまったく消えてしまうわけではない、とレーヴィットは考えるのです。この考えは、ある意味では現実的な解決策のように見えますが、ピランデッロの先鋭的な問いを台無しにする危険性があります。また、個人と役割の関係がどうなっているのか、あらためて答えなくてはなりません。レーヴィットは、書物の最後の部分で、他人との関係だけには解消できない、「個人」の比類のない意義について、次のように語っています。

＊＊＊

《私》が、つまりただひとりそれのみが他者でない《私》が、私に対して示されるのは、したがって、私が私自身に対して一個の「関係」を有しうることによってである。その関係はひたすら私自身にのみかかわり、いかなる他者ともかかわらないのであって、端的に比較不能で独特な関係なのである。

（レーヴィット『共同存在の現象学』）

＊＊＊

図３－２　「他人からの見方がすべて」か、「個人の比類のない意義」か

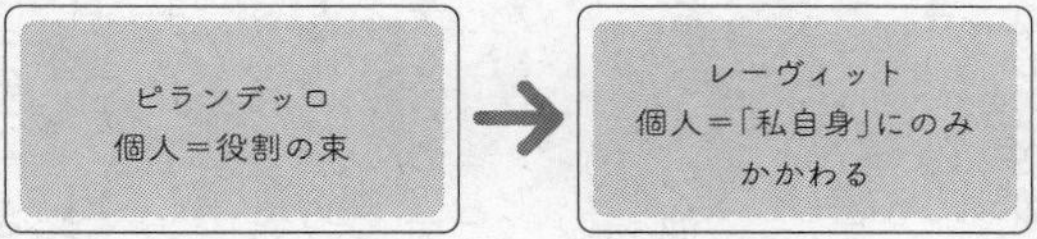

この部分を見るかぎり、ピランデッロとレーヴィットの距離はきわめて大きいようです。図示しておくと、次のようになります（図３－２）。

みなさんは、ピランデッロとレーヴィットのどちらの考えに納得されますか。

しかし、ここで根本的な疑問がわき起こってきます。もしもレーヴィットのように、「個体」の比類のない意義を強調するのであれば、はたしてピランデッロを詳細に分析する必要があったのか、という点です。徹底性という側面から言えば、ピランデッロの演劇は群を抜いています。これに比べると、レーヴィットの分析は常識にとどまっています。

「個性」と「演技」のはざま

レーヴィットとピランデッロの考えの違いを明らかにするため、「個性」という言葉に注目しましょう。というのも、

レーヴィットは個人（Individuum）の比類のない意義を表現するものとして、「個性（Individualität）」という言葉を当てているからです。

実際、日常的な場面でも、他の人とは違うその人の意義が、しばしば「個性」として語られています。子どものころから、繰り返し「個性を大切にしよう」と強調されています（「個性」が他人から命じられるのは、不思議です）。

しかし、そもそも「個性」とは、いったい何でしょうか。

ピランデッロの立場で言えば、そんなものは虚妄に他なりません。そこで、この言葉を理解するために、ピランデッロ劇から離れ、少し歴史的に問い直すことにしましょう。

「個性」という言葉を英語で表わすとき、ドイツ語（Individualität）の英語版（Individuality）の他に、「パーソナリティ（Personality）」という語がしばしば使われます。これはすぐ分かるように、「人」を表わす「パーソン（person）」の派生形です。

「パーソン」は辞書を見ると、「（他と違い個性ある一個人としての）人」と説明されています。つまり、**他とは区別された一人の人間こそが「パーソン」であり、その人のもつかけがえのない個性が「パーソナリティ」**というわけです。

しかし、この単語の歴史的な由来を考えると、意外なことが分かります。じつは、「パーソン」や「パーソナリティ」は、ラテン語の「ペルソナ（persona）」（さらにはギリシア語の「πρόσωπον」）を起源としたものです。この**「ペルソナ」という言葉は、本来は劇で使われる「仮面」**を意味する言葉でした。

たとえば、ゼウスの役を演じるときは「ゼウスの仮面」をつけるように、役者は舞台で「役柄の仮面（ペルソナ）」をつけて登場したのです。そこから意味が転用されて、「役柄」や「役者」を指すようになりました。その後、「ペルソナ」は劇用語の文脈から離れ、日常で使われる言葉になるのですが、それでもなお、基本的な意味に変わりはなかったのです。

しかし、近代になると、「ペルソナ」から「役割」という意味が次第に失われていきました。「ペルソナ」から生まれた「パーソン」は、「物」と区別された「人物」を指す言葉となり、さらには「権利主体」や「行為主体」という意味を担うようになったのです。

今では、「パーソン」や「パーソナリティ」という言葉を聞いて、「役割」を連想する人はほとんどいません。むしろ、他とは違うその人特有の性質だと理解されています。

そのため、日常生活では、私たちが他人に対して演技らしき行為をするとき、それは単なる外面であり、むしろそれとは区別された「本当の自分（パーソン）」がある、と考え

図3－3　本来、「個性」と「仮面」は対立関係になかった

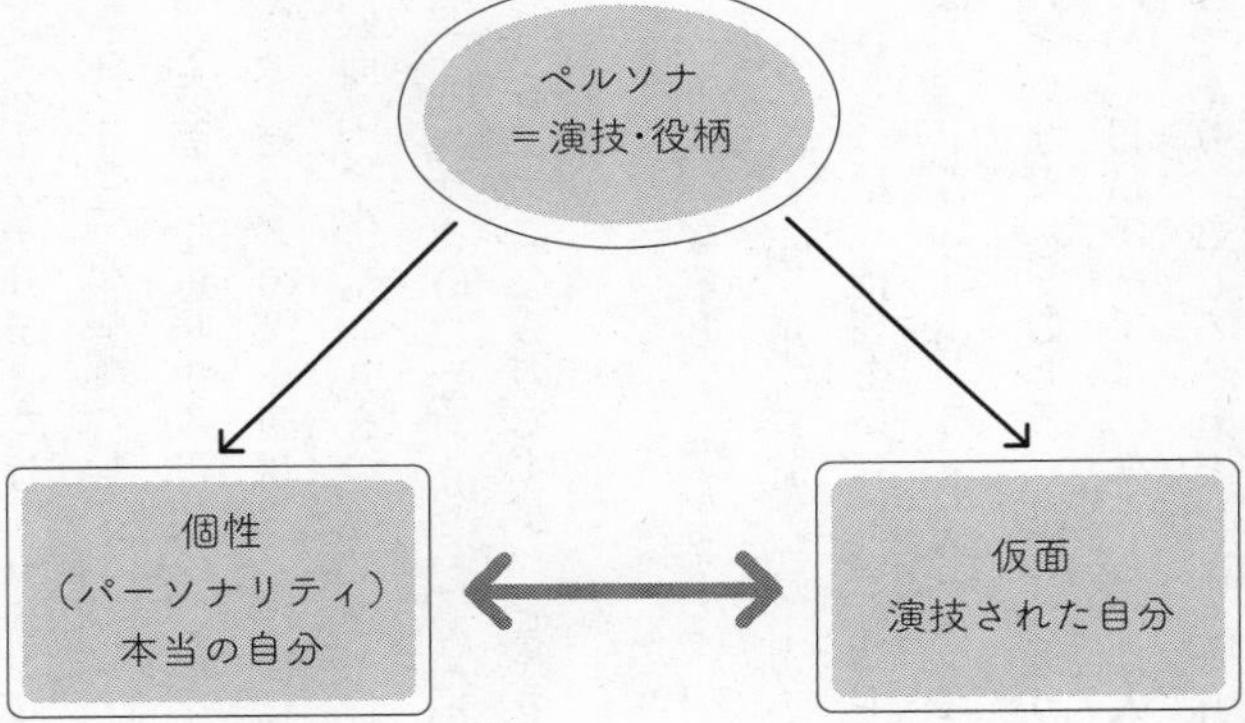

るのです。

　つまり、現代においては、「本当の自分」と「演技された自分」は対立関係にあり、「ペルソナ」の本来の意味とはまったく逆になっているのです。しかし、本来の意味を考えるならば、「演技」こそがペルソナ（パーソン）なのです（図3－3）。

　今日、個性と仮面は対立するものとして理解されています。しかしながら、じつを言えば、仮面だけでなく、「個性」と見なされているものも含めて、すべて「他人に対する演技」と考えることができます。もしも、**「個性」を「本当の自分」と表現するならば、「本当の自分」とは「演技された自分」**のことなのです。

たとえば、ある青年が親と話すときは「子どものペルソナ」を演じますし、電車に乗れば「乗客のペルソナ」を演じるでしょう。学校で授業に出席するときは「学生のペルソナ」を演じ、友達や恋人には、それに応じたペルソナを演じるでしょう。もちろん、教師の方も、役割を演じているという点では同じです。彼らが教師であるのは、学生たちが学生のペルソナを演じるからであり、そのために教師のペルソナを演じるのです。相互にペルソナを演じ合うことで、教師と学生になっているのです。

マルクスは、『資本論』のある注において、この辺りを興味深く書いています。

＊＊＊

ある人が王であるのは、他の人たちが彼に対して臣下としてふるまうからにすぎない。ところが、逆に彼らは、彼が王であるがゆえに、自分が臣下なのだと信じるのである。

（マルクス『資本論』第1巻）

＊＊＊

現代に生きる私たちは「多重人格者」であることを求められる

こうしたペルソナの考えには、根強い反発があります。それによると、「ペルソナ」の

図3－4 「本当の自分」と「演技」は別物か

本来の意味が「演技」や「役割」にあったとしても、演技はしょせん演技にすぎないというのです。それは「本当の自分（＝個性）」とは異なるものだし、役者が演技するのもあくまで舞台上のことで、舞台をおりれば本当の素顔があるではないか――こう反論されます。

こうした**「本当の自分」が、しばしば「人格のアイデンティティ」と呼ばれます。**図3－4のようなイメージです。

しかし、「本当の自分」と演技とを、はたして明確に区別できるのでしょうか。それを考えるために、いわゆる「多重人格症」（厳密には「解離性同一性障害」と呼ばれる）の事例を見ておきましょう。

複数の人格が一人のなかで同居するという話は、昔から報告されていました。小説では、スティーブンソンの『ジキル博士とハイド氏』（1886年）が有名ですが、近年では1977年にアメリカで**「ビリー・ミリガン事件」**が起こって、「多重人格ブーム」となったのです。

この事件の容疑者であるビリー・ミリガンは、連続レイプ・強盗事件の犯罪者として逮捕されたのですが、彼には複数の人格が存在することが分かったのです。そのため、彼は裁判で有罪にはなりませんでした。この事件については、アメリカの作家ダニエル・キイスの『24人のビリー・ミリガン』という本も出版され、いわゆる「多重人格症」がマスメディアで脚光を浴びるようになりました。

「多重人格者」は、人格が切り替わると、他の人格の記憶がなくなったり、前の意識と断絶することが多いようです。たとえば、自分のスマホを見ると、メールした記憶がないのに、履歴が残っている。あるいは、買った覚えのない服が、自分のクローゼットにかけてある。20歳の女性なのに、とつぜん3歳の女の子のような話し方をして、泣き出してしまう。知らない人から友人だと告げられたり、親しそうに話しかけられる……こんなことが何度もつづけば、病的な状態かもしれません。

しかし、あらためて考え直してみると、**人格が切り替わるのは、日常生活でも、ごく普通に起こるのではないでしょうか。**

アルバイトで店員として働いているときは、笑顔で客に接する人が、家に帰ると親には不機嫌な言動をとることがあります。また、外では気の弱い男性が、家のなかでは妻に暴力をふるうこともあります。こうしたことは、挙げていけばキリがありません。

私たちの生活は、他人との関係のなかで営まれ、一定の役割を演じることが必要です。家庭では、親として、子として、兄弟としてふるまっています。学校では、教師か学生かによって、ふるまい方が変わってきます。友人としてふるまうときと、恋人としてふるまうときでは、まったく違う行動をとるでしょう。会社では、上司か部下かの違いによって、それぞれ異なる態度が要求されます。

一人の人でも、状況によって多様な人間関係を取り結んでいますので、その状況に応じて言動を変える必要があります。**その場その場に応じて、異なる人格（あるいは異なる「こころ」）が要求される**わけです。

とすれば、「多重人格」とまでは言わないまでも、多様な人格をそのつど演じることは、私たちにとって必須なことなのではないでしょうか。

とりわけ、変化のめざましい現代社会では、「人格は一つ」といって「本当の自分」に固執するよりも、さまざまな状況に対応して異なる役割を演じ分ける能力が必要になります。**さまざまな状況に対応できる「しなやかな人格」**です。そんな演技ができなかったら、間違いなく「ダサい人」というレッテルが貼られるでしょう。

現代社会は、私たちに「多重人格者」になるように要求しています。

「個人（分割されないもの）」ではなく「分人（さまざまに分割される人）」

「個性」や「アイデンティティ」と呼べるものが、多様な状況や演じる役割によって変わっていくのであれば、「個人」はどうなるのでしょうか。

「個人」という言葉は、英語では「individual」を使いますが、これは語源的には、「分けることができないもの（in+dividual）」を意味しています。

ところが、現代フランスの哲学者ジル・ドゥルーズは、「個人」について次のような指摘を行なっています。

＊＊＊

分割不可能だった個人（individus）は、分割によってその性質を変化させる「可分性（dividuels）」となり、群れのほうもサンプルかデータ、あるいはマーケットか「データバンク」に化けてしまう。

（ドゥルーズ『記号と事件』）

＊＊＊

一人ひとりは、それぞれ身体がべつべつに分かれ、一人ずつ独立して存在していますので、「分割できない個人」という言葉が使われました。また、その身体におさまっている「こころ」もみんな違っている、と考えられています。「ひとりの個人には、一つの『こころ』」というわけです。それなのに、ドゥルーズはどうして「可分性」、つまり「分割された複数のもの」と表現するのでしょうか。

ここでドゥルーズが想定しているのは、彼が「管理社会（コントロール社会）」と呼ぶものです。今さら強調するまでもありませんが（ちなみにドゥルーズの文章は１９９０年のものです）、今日の社会では、インターネットをはじめとするデジタル通信技術がいたるところで使われています。

現代人は何か行動するたびに、その足跡があらゆる場所で記録されていきます。企業は、こうしたデータを活用しながら、事業戦略を作り上げていきます。このような現代の「管理社会」では、人間はもはや「個人（分割されないもの）」ではなく、さまざまなデータへと「分割される人」、すなわち「分人（dividual）」となるのです。

たとえば、スマホアプリでニュースをチェックすると閲覧記録が、親しい誰かにメッセージを送れば送信履歴が、街を歩くときには防犯カメラの映像が、ＩＣカードを利用して電車に乗れば時間とともに乗降地点が、電子マネーで買い物をすれば購入履歴が残されます。最近では、インスタグラム、フェイスブック、ユーチューブほか、その足跡が記録される場所はいくらでも挙げることができます。

21世紀になると、この傾向に拍車がかかり、個々人の断片的な情報が「ビッグデータ」として蓄積されています。

私たちは、つねに細かな記録に分割されながら、管理社会を生きています。このあり方を、ドゥルーズは「個人」ではなく「分人」と呼んだわけです。

では、「分人」になることによって、「人」はどう変わっていくのでしょうか。

たとえば、ECサイトを見ていると、自分好みの商品が案内されることがあります。これはいわゆる「レコメンド」なのですが、この機能を可能にしているのは、その人の購入履歴です。過去の購入履歴や最近の閲覧履歴などにもとづいて、その人に興味のありそうな商品を自動的におススメするのです。これを見て、私たちはつい購入ボタンを押してしまいます。

こうした行動は、個人の自律的な選択と言えるのでしょうか、それともシステムにコントロールされたものなのでしょうか。

たしかに、個々人の選択ではあるのですが、情報に誘導されたコントロールであるのは否定できません。その場合、人の「個性」というのは、もはや幻想ではないでしょうか。

そうだとすれば、現代の管理社会では、「個性」について思い悩むよりも、「分人」としてどう生きていくのかを考えるほうが、はるかに有効でしょう。

しかし、そもそも「分人」として生きるとは、どんなことでしょうか。

本章のポイント

- ピランデッロ劇の意味するもの
- 「こころ」と役割
- 「個性」と「演技」の関係
- 「アイデンティティ」はあるか?
- 「個人」から「分人」へ

第4章 悲しいから泣くのか、泣くから悲しいのか

「こころ」のはたらきのなかで、誰もが日ごろからよく知ってはいても、いざ考えてみると、あまり理解されていないもの――その代表が情動（emotion）です。たとえば、怒り、怖れ、憎しみ、喜び、悲しみ、恥じらいなどです。感情の一種ですが、英語を見ても分かるように、とくに激しい身体的な動き（motion）をともなっています。

たとえば、スポーツの試合で勝ったときは、ガッツポーズをして全身で喜びを表現する光景を目にします。また、信頼した人に裏切られたときは、こぶしを机に叩きつけて「ちくしょー！」と怒りを表わすでしょう。そして、愛する人を失ったときは、涙を流しながら、悲しみのあまり、身体全体が打ちのめされるのではないでしょうか。

このように、喜怒哀楽のような感情のなかで、短期間で急激に起こる激しいものが、と

くに「情動」とされます。この情動について、アメリカの哲学者ウィリアム・ジェームズは、かつて次のように説明したことがあります。

いわく、「人は悲しいから泣くのではなく、泣くから悲しいのである」と。あるいは、「うれしいから笑うのではなく、笑うからうれしい」と言うこともできます。この考えが提唱されたのは、1880年代です。

しかし、私たちの常識からすると、「うれしいから笑い、悲しいから泣く」と思われているでしょう。この順番を逆にしたのですから、きわめて逆説的な（あるいは革命的な）表現に見えます。しかし、ジェームズは、奇をてらって説を打ち出したのではありません。

今では、ジェームズの説は「心理学」の教科書でも定番になっていますが、それをどう取り扱っていいのか、あまりハッキリしていません。現在では、脳神経科学の観点から補強されているように見えますが、実のところどう考えるべきか、よく分からないのです。

そこで、この章で、あらためて「情動」について考えてみましょう。

「震えるから恐れを感じる」という情動理論

先ほど、ジェームズの考えを示したとき、「常識」とは違うと述べましたが、じつを言えば、その点について彼自身が、自覚的であったようです。

普通の考え（常識）によれば、「情動」について、一般に次のような順序が想定されています。まず、ある事実が知覚され、それにもとづき情動（「こころ」の状態）が引き起こされます。そして、この情動が次に身体的な表現を引き起こすのです。簡単に言えば、**「事実の知覚」→「情動」→「身体の表現」**という順序です。

たとえば、山道を歩いていたら、とつぜんクマに遭遇したとします。それを見て（知覚）、恐怖（情動）がわき起こります。そのとき心臓の鼓動が速くなり、それから一目散に逃げるのです（身体表現）。こう説明した場合、とくに問題ないように思われます。

ところが、ジェームズはまったく逆の説明をするのです。１８９０年に出版した『心理学（縮約版）』において、次のように語っています。

＊＊＊

私の説明では、まったく反対に、身体的な変化は、興奮させるような事実を知覚した後すぐに生じるのであって、身体的変化が生じているときに感じるものがまさに情動なのである。

（ジェームズ『心理学』）

＊＊＊

つまり、「興奮させる事実の知覚」→「身体的な変化」→「情動」となります。まさに、「私たちは泣くから悲しく感じ、殴るから怒りを感じ、震えるから恐れを感じるのである」ということです。クマの例でいえば、「クマと遭遇」→「逃げる、心臓の速い鼓動、血の気が引く、など」→「恐れを感じる」となります。

ジェームズによると、恐れを感じたり、怒りが込み上げるときは、「情動」よりも「身体の動き」が早く起こるように感じられます。ジェームズは次のような例を出しています。

＊＊＊

詩の朗読やドラマ、あるいは英雄伝などに耳を傾けているとき、突然に波に洗われたように皮膚がぞくぞくしたり、ときおり胸がいっぱいになったり、涙がこぼれたりして驚かされることがある。音楽の聴取においても、同様のことがさらに顕著に生じる。

（ジェームズ『心理学』）

＊＊＊

この他、「森の奥で突然に何か黒いものがうごめいているのを見たとき（……）心臓がドキッとして息をのむ」とか、「友人が崖の端に近づいたら（……）背筋がぞっとして、後ずさりする」とも言われます。

図4-1 ジェームズは「情動理論」を提唱した

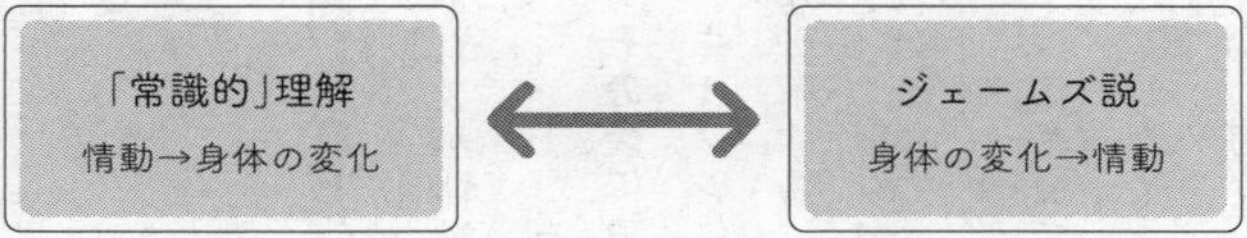

こうしたジェームズの例を読むと、多くの人は「たしかにそういったこともある」と認めるのではないでしょうか。問題はしかし、こうした事例で、はたして「悲しいから泣くのではなく、泣くから悲しい」ということが論証されたのか、ということです。

ジェームズの考えは、情動にかんする常識的な理解とは真逆であり、当時も多くの批判を生み出しました。ジェームズ自身、「この考え方はちょっと見ただけではパラドックスのようであるから、多くの心理学者に信用してもらうことが難しかった」と語っています。

そのため彼は、後に代表的な批判を取り上げながら、再度議論を展開しています。とはいえ、ジェームズの存命中には決定的な反論は提起されず、彼の情動理論は廃棄されることはありませんでした。

むしろ、ジェームズの弟子であるラルフ・バートン・ペリーによると、「この著名な学説は強く立証されているし、また実験によって繰り返し確認されているので、この仮説が実質的に真理であることを否定することはできない」とされています（R. B. Perry, *General Theory of Value*, 1926）。

脳神経科学から情動を理解する

ジェームズが情動にかんする理論を提唱してから40年ほど後に、アメリカの生理学者ウォルター・B・キャノンが、それに代わる新たな理論を提唱しました。**このキャノンの理論は、その後につづく情動理解の方向を決定したように思えます。**

では、キャノンはジェームズの理論をどう変えたのでしょうか。

それを理解するには、1927年に発表されたキャノンの論文（「ジェームズ＝ランゲの情動理論：その検証と代替理論」）を見る必要があります。このとき注目しておきたいのは、ジェームズの理論をまとめるとき、キャノン独自の視点が色濃く出ていることです。キャノンの論文でターゲットにされているのは、「ジェームズ＝ランゲの情動理論」と呼ばれていますが、デンマークの医師であるカール・ランゲが、ジェームズとほぼ同じときに独立した形で、**「身体的な変化が情動を引き起こす」**と主張したことによります。そのため、アメリカの哲学者ジョン・デューイは二つの説を同一の説と見なし、「ジェームズ＝ランゲ説」と呼びました。

この命名は広く受け入れられていますが、今日ではその同一視を批判する研究者もいます（リサ・フェルドマン・バレット『情動はこうしてつくられる』）。この辺りの事情を確認した上で、キャノンの論文を見ることにしましょう。

さて、キャノンはジェームズの理論を、次のようにパラフレーズしています。少し長いですが、ジェームズとキャノンの違いがよく出ていますので引用します。

＊＊＊

一つの対象物が一つあるいはそれ以上の感覚器官を刺激する。上行性のインパルスが大脳皮質に達し、その対象物が知覚される。次いで（神経の）流れが筋肉や内臓にまで下行し、それらの状態を様々に変容させる。これらの変容した器官から発するインパルスは皮質へと逆コースをたどり、それが知覚されたとき、「単に気づかれた対象」は「情動的に感じられた対象」に形を変える。つまり「生じた身体の変化の感覚こそが情動であり、通常の知覚的、連合的、運動的要素ですべて説明できる」という。この理論の主たる証拠は、我々は緊張、動悸、赤面、痛み、息苦しさに気づくということ――実際、我々はそれらが生じたときにはそれらを感じる——、またもし心に描いた情動からこういった身体の兆候を取り除いてしまえば、後には何ものこらないだろうということである。

（キャノン「ジェームズ＝ランゲの情動理論：その検証と代替理論」）

＊＊＊

ここでまとめられているのは、表面上はジェームズの理論（「知覚→身体の変化→情動」）ではあります。ところが、そのときキャノンは、とりわけ彼の専門領域である生理学的、あるいは脳神経科学的な観点から捉え直しているのです。

このキャノンの理論は、弟子であるフィリップ・バードの協力を得て、キャノン＝バード説と呼ばれるようになりました。**彼らの議論は、脳神経科学の方向へと舵を切った点で、今までの情動論とは大きく違っています。**

20世紀の前半は脳研究が飛躍的に進み、大脳皮質が区分され、大脳地図も作成されるようになりました。この脳神経科学の発展にもとづいて、情動が新たに理解されたわけです。

具体的に言えば、対象の知覚にしても、情動にしても、身体の変化にしても、すべて神経と結びついています。しかも、神経といっても、脳の中枢神経系と身体全体に張り巡らされた末梢神経系に分けられます。この二つの神経系に対応して、ジェームズ＝ランゲ説とキャノン＝バード説はそれぞれ「末梢起源説」と「中枢起源説」と呼ばれることになります。

つまり、身体全体の身体反応から出発して（末梢神経起源）、情動が生み出されると考えるのが、ジェームズ＝ランゲ説。他方で、情動といった脳の活動から出発して（中枢神経起源）、身体変化が引き起こされると考えるのが、キャノン＝バード説。

一見すると、かつての常識に舞い戻ったように見えますが、脳や神経系の知見によって全体が捉え直されています。

ここでは、詳細な議論はできませんが、キャノン＝バード説の基本的な構造について、現代の脳科学の知識（櫻井武『「こころ」はいかにして生まれるのか』）から図式化しておきます（図4－2）。

図について少し補足しておきますと、「知覚は感覚系から視床という部分を経て大脳皮質に伝えられて情報処理されたあと、再び視床に戻され、そこから末梢と中枢の二方向に情報が発信されて、情動表出（心拍数の上昇など）と情動体験（感情を知覚すること）を『並列に生む』」とされます。ここでポイントになるのは、情報が脳に伝えられて、脳から信号が送られて、情動体験と情動表出が起こることです。

図4-2 「キャノン=バード説」では「中枢の変化が身体的変化を引き起こす」

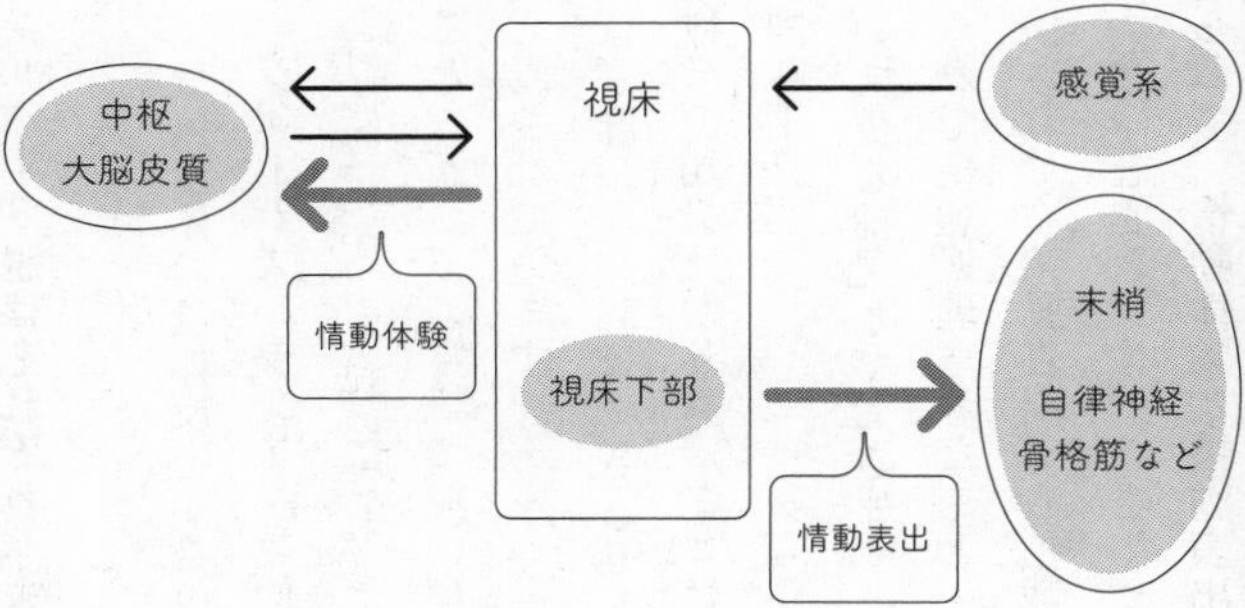

出典：櫻井武『「こころ」はいかにして生まれるのか』をもとに著者作図

以前のジェームズ=ランゲ説では末梢の変化が先立ち、それを知覚するのが「情動」とされたので、「泣くから悲しい」と言われたのですが、この説明はキャノン=バード説によれば間違っているのです。むしろ、中枢の変化こそが身体的な変化を引き起こすわけです。

こうしたキャノン=バード説については批判もありますが、脳神経科学的な観点から情動を理解することは、今日の主流な方法となっています。

ダマシオのソマティック・マーカー仮説

そこで、現代の脳神経科学者で、情動についての積極的な理論を提示しているアントニオ・R・ダマシオの考えを見ておきましょう。

ダマシオは1994年に発表した『デカルトの誤り』において、フィニアス・ゲージという人物を取り上げ、その人物の脳と行動の関係について定説となった話をしています。

ここであらかじめ、ゲージという人物について簡単に紹介しておきます。現代の脳神経学者マイケル・S・ガザニガは、ゲージをこんな風に紹介しています。

＊＊＊

フィニアス・ゲイジは、神経心理学の分野で史上最も有名な患者のひとりである。ゲイジが鉄道工事の現場で仕事をしていたとき、火薬を詰める鉄棒が爆発事故で吹き飛んでゲイジの頭を貫通した。この事故のせいでゲイジの前頭部は損傷を受ける。怪我から回復したゲイジはうわべは正常に見えたが、昔から彼を知る人はいくつかの変化に気づき、彼は「もはやゲイジではない」といって嘆いた。事実、ゲイジの性格は一変していた。抑制がきかず、衝動を抑えられず、社会のルールに反した行動をとる人間に変貌していたのである。

（ガザニガ『脳のなかの倫理』）

＊＊＊

ダマシオは、ゲージの残された頭蓋骨から、脳のどの部分に損傷を受けたのか割り出して、次のように語っています。「正常な意思決定にとってきわめて重要な部位の一部であるとしてわれわれが最近の研究で注目してきたのが、『前頭前野腹内側部』であり、事実、ゲージの脳はそこがダメージを受けていた」。

ダマシオによると、ゲージが損傷した「前頭前野腹内側部」は情動に深くかかわっており、これが損傷されると、行動するための有効な意思決定ができなくなる、とされます。ここから彼は、「ソマティック・マーカー仮説」を提唱します。

＊＊＊

意思決定障害と情動障害を有する神経疾患患者に対する私自身の研究にもとづき、情動は理性のループの中にあり、また情動は通常想定されているように推論のプロセスを必然的に阻害するのではなく、そのプロセスを助けることができるという仮説（ソマティック・マーカー仮説として知られている）を提唱した。（ダマシオ『デカルトの誤り』）

＊＊＊

具体的に考えてみましょう。まず、私たちの生命を脅かすような対象（たとえばクマや断崖）が知覚されるとします。そのとき、心臓がどきどきしたり、鳥肌が立ったり、口が渇いたりするような身体的な（ソマティック）反応が起きます。この身体的な反応が、中

図4－3　ダマシオは「身体的反応が適応的行動への誘因となる」と提唱

枢である脳の「前頭前野腹内側部」などに影響を与えて、対象に対して正と負（「よいとわるい」）の評価をマークする（印をつける）わけです（クマの場合は、「危ない、逃げろ！」）。そのため、**身体的な反応は行動するための意思決定を効率的に行なわせる**のです。

したがって、情動を理解するには、単なる身体的な反応だけでなく、それが適応的な行動への誘因となる、という側面も含んでいるのです（図４－３）。

このように見ると、「身体の変化から情動へ」というジェームズの情動論が、現代の脳神経科学の知見によって、あらためて復活しているのが理解できます。「泣くから悲しい」という一見したところ常識に反したジェームズの説は、最先端の脳科学の観点からも正当化されたわけです。

『ライ・トゥ・ミー』。表情から情動を読みとる

２００９年から２０１１年にかけて、アメリカで『Lie to Me』というテレビドラマが放送されました。日本では、『ライ・トゥ・ミー　嘘は真実を語る』というタイトルで２０１０年に放送が開始されたのですが、ご覧になったことはありますか。

カル・ライトマンという精神行動分析学者が、微表情から嘘を一瞬にして見破り、犯罪捜査の手助けをするサスペンス・ドラマで、けっこう話題となりました。そのため、日本でも、同じようなコンセプトのドラマが作られ、表情分析がちょっとした流行にもなりました。

このドラマの主人公になった学者は、じつをいえば実在する心理学者（ポール・エクマン）をモデルとしています。エクマンが２００３年に出版した『顔は口ほどに嘘をつく（*Emotions Revealed*）』は、原題が「暴かれた情動」であることからも分かるように、情動と身体の表現との関係を扱ったものです。

情動が身体の変化と結びついているのは、ジェームズ以来よく知られていたのですが、エクマンは身体の変化、とくに顔の表情の方から情動を理解しようとしました。

情動と表情のかかわりについては、すでにチャールズ・ダーウィンが150年ほど前に『人間及び動物の表情について（*The Expression of the Emotions in Man and Animals*）』（1872年）のなかで詳細に論じていました。その際、ダーウィンは世界中の先住民族についても調査して、その著書を仕上げたのです。

表情にかんするダーウィンの研究には、一つの大きな特徴がありました。**ダーウィンによれば、住む地域や人種が異なっていても、情動の表現、すなわち表情には普遍的な共通性が認められる、**と見なされています。

＊＊＊

世界のどこでも、同じ心の状態は驚くほど画一的にあらわされる。この事実そのものが、すべての人種が非常に似た身体構造と精神的気質をもっている証拠として興味深い。

（ダーウィン『人間及び動物の表情について』）

＊＊＊

ところが、**20世紀の後半になると、世界的に文化相対主義が流行して、情動の表現は文化や社会の違いによって異なる、**と考えられるようになりました。こうした状況のなかで、エクマンは地域や文化の違うさまざまな人々の表情を調査して、ダーウィンと同じ結論にたどり着いた、と言います。

文字をもった二十以上もの西洋や東洋の文化で、一つの顔の表情にどんな感情［情動］が示されているかについて調査したところ、文化のちがいを超えて大多数の人々が同じ判断を下したのである。翻訳の問題があるにもかかわらず、文化が異なっても、同じ表現に異なった感情［情動］をわりふる例は一度も見られなかった。（エクマン『顔は口ほどに嘘をつく』）

＊＊＊

簡単に言えば、人間であれば、地域や文化、人種が違っていても、情動の表現（つまり表情）は同じだということです。こうして、**エクマンはダーウィンの発見をあらためて確認**したわけです。

21世紀の今日、エクマンは、人間のさまざまな情動——悲しみと苦悩、怒りや憎しみ、驚きと恐怖、嫌悪や軽蔑、楽しみや喜びなど——が、どのように表情として現われるか、を具体的に明らかにしたわけです。

情動は人間の普遍的反応

こうしたエクマンの情動理論を高く評価したのが、心理学者のスティーブン・ピンカーです。ピンカーの本は日本で多く翻訳されており、その考えはよく知られています。たとえば、批判するために、彼は次のような文化相対主義的見解をあらかじめ提示しています。

＊＊＊

ものを知っていることをひけらかす常套手段の一つに、私たちがもっている感情［情動］をもたない社会がある、あるいは逆に私たちにない感情をもつ社会があると聞き手に披露するというやり方がある。カナダ・イヌイットのウトゥク族は、怒りに相当する言葉をもたず、怒りの感情もないとされている。タヒチ人は、罪悪感や、悲しみ、熱望、孤独感をもたず、私たちが悲嘆と呼ぶものを、疲れや病気や身体的苦痛として表現するとされている。（以下多くの事例がつづく）　（ピンカー『心の仕組み』）

＊＊＊

こう述べた後で、ピンカーは持論を語ります。「確かに、人がいろいろな感情を見せたり、口に出したり、行動で表わしたりする頻度は、文化によってさまざまである。しかし、その文化に属する人たちがなにを感じているかはまた別の話である。所見によれば、私たちの種（＝人類）の正常なメンバーの感情（情動）はすべて、同じキーボードで演奏されている」。

ここでピンカーが強調しているのは、地域や文化の違いによって、使っている言葉が異なっていても、情動にかんして差異があるわけではないことです。ピンカーによれば、「ある言語にある感情を指す語がある、あるいはないという、よくある発言はほとんど意味がない。私は前著の『言語を生みだす本能』で、言語が思考におよぼす影響は誇張されているし、言語が感情におよぼす影響はなおさらだと論じた」。

それでは、ピンカーは情動をどのようなメカニズムで理解しているのでしょうか。彼は、イギリスの進化生物学者リチャード・ドーキンスの利己的遺伝子論を下敷きにしながら、情動を進化論的に考えています。たとえば、次のようなものです。

＊＊＊

情動は進化的適応であり、知性と調和して働く、心の機能に欠かせない、よくデザインされたソフトウェアのモジュールである。情動がもつ問題点は、制御のきかない力であるとか、動物だった過去のなごりであるとかいうことではない。問題は、情動が遺伝子の複製を増やして伝えるためにデザインされたものであって、幸福や知恵や道徳的価値観を促進するためにデザインされたものではないというところにある。

（ピンカー『心の仕組み』）

＊＊＊

一般の常識によれば、情動は知性と対立し、制御のきかない動物的な要素のように見なされます。それに対して、ピンカーは情動と知性のループを考えて、「情動は脳の最高次の目標を設定するメカニズム」とまで語っています。そのため彼は、人工知能研究者の予想として、「将来、自由に行動するロボットができたら、（……）情動のようなものをもつようにプログラムされているはずだ」と述べることになります。怒りをもつロボット、悲しむロボット、歓喜するロボットが、やがて誕生するわけです。

これは面白い発想ですね。情動は人間という種に共通の反応というだけでなく、やがては人工知能が搭載されたロボットにも、情動反応が生まれるのです。そうなったら、ロボットと生活しても、退屈しないかもしれません。

古典的情動理論への挑戦

ダーウィンの表情論にもとづくエクマンの『ライ・トゥ・ミー』にしても、ドーキンスの利己的遺伝子論を下敷きにしたピンカーの進化心理学的な情動論にしても、情動が人間にとって普遍的なものであり、文化や地域によって異なるわけではない、と見なされています。簡単に言えば、「情動は、生まれつき組み込まれている、身体内部で起こる明確に識別可能な現象なのだ」という見方です。

こうした情動にかんする考えを、リサ・フェルドマン・バレットは2017年に出版した『情動はこうしてつくられる』のなかで、「古典的情動理論」と呼び、それが長いあいだ支配してきたことを厳しく批判しています。バレットは、心理学と神経科学の両面から情動を研究する人物です。少し長くなりますが、今日の情動理論の状況をイメージするため、引用しておきます。

＊＊＊

その手の情動の見方［古典的情動理論］は、数千年にわたりさまざまな形態をとって流通してきた。プラトンは、その解釈のうちの一つを信じていた。その点に関して言えば、ヒポクラテス、アリストテレス、釈迦、デカルト、フロイト、ダーウィンは皆同罪だ。今日でも、スティーブン・ピンカー、ポール・エクマン、そしてダライ・ラマなどの著名な識者も、古典的理論に基づく情動の解釈を提起している。また心理学のほぼすべての学部生向け教科書や、情動について論じた雑誌や新聞のほとんどの記事に、古典的理論への言及が見られる。顔面に現われた情動を特定するための普遍的言語と考えられている微笑み、しかめ面、への字に結ばれた口を描いたポスターが、アメリカ中の小学校に貼られている。フェイスブックでは、ダーウィンの著書に啓発されて制作された顔文字が使われている。

（バレット『情動はこうしてつくられる』）

＊＊＊

なんと、ギリシアのプラトンやヒポクラテス以来、ピンカーやエクマンを含め今日にいたるまで、情動にかんする古典的な理論が支配してきた、というのです。古典的理論では、情動は普遍的であり、文化や地域、歴史が違っていても、みな共通の反応を示すと見なされている、とされます。もちろん、人によって微妙な違いはありますが、基本的には共通の反応なのです。

これに対して、バレットは「構成主義的情動理論」を提唱して、「**情動は生まれつき組み込まれたものではなく、多数の基本的なパーツから構成されたもの**」だと主張しています。このとき、構成するのはたしかに本人ですが、「さまざまな身体特性、環境に合わせて自身を配線する能力をもつ脳、文化、養育の結合として生じる」とされます。

一見したところ、こうしたバレットの情動論は、20世紀後半に流行した文化相対主義の焼き直しのように思われます。しかし、その射程はもっと広く、「プラトン時代から受け継がれてきた心に関する基本概念を覆す革命」と意図されています。

たとえば、従来は、情動を理解するには、人間の身体変化に着目して、「表情」や「心拍や血圧などの身体機能の変化」にアプローチしてきました。ところが、バレットによれは、こうした身体的な変化はきわめて多様であって、一律の反応を示すわけではないのです。実際、**怒りの典型的な表情をしているからといって、その人が実際に怒っているかどうかは分かりません。**また、心拍や呼吸などの変化を測定しても、その値には大きなばらつきが見られるのです。

そのため、「膨大な時間と資金が投入されてきたにもかかわらず、いかなる情動にかんしても、それに対応する一貫した身体的指標は見出されていない」と明言されます。

だとすれば、従来の情動研究はいったい何だったのか、と問い返したくなりますが、ジェームズが情動論を発表して1世紀以上経過した現在でも、あらためて理解し直す必要がありそうです。

本章のポイント

- 悲しいから泣くのか、泣くから悲しいのか
- 情動と脳の関係
- ソマティック・マーカー仮説
- 表情はウソをつかない？
- 表情は人間に共通か？

第 2 部

見えない「こころ」を、みることができるのか

中国の古典『大学』のなかに、「心ここにあらざれば、視れども見えず」というものがあります。ここでは、少し形を変えて、見えない「こころ」をみることができるのか、考えていきます。

「こころ」が見えない、という点についてはおそらく異論はないでしょう。古今東西、「こころ」についてはさまざまに語られ、探究されてきましたが、「こころが見えない」ことは、ほぼ前提となっています。それなのに、「こころ」が熱心に問われつづけられたのは、まさに驚異というべきでしょう。

「こころ」が見えない根本的な理由は、それが物体的なもの・物質的なものではないことです。ここでデカルトの二元論をとるわけではありませんが、「こころ」が非物体的・非物質的なものと考えられたのは、歴史のメインストリームです。もちろん、18世紀の「人間機械論」のように、生理学的観点から「こころ」を物質的に説明する唯物論もありました。また、第1部で見たように、「こころ」を消去してしまおうとする理論もあります。しかし、そうした努力も、「こころが見えない」と考える点では、変わりがありません。

この第2部では、「見えないこころ」を、物体的なもの・物質的なものによってみようとする試みを取り上げることにします。

図2部-1 身体は、見えない「こころ」の表現？

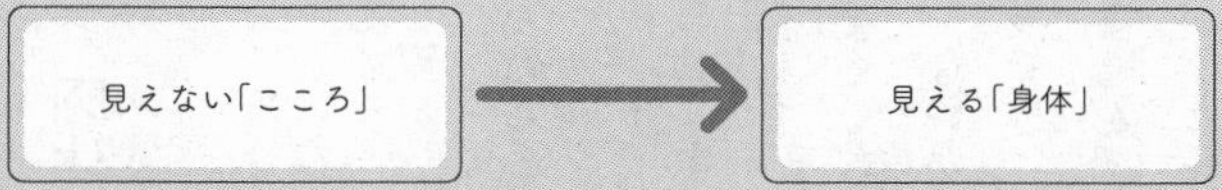

その基本になるのは身体ですが、そのとき身体は「見えないこころ」の表現として理解されています。

この論理は、21世紀の現代でも使われていますが、根本的な問題が解決されているとは言えません。そもそも、見えない「こころ」と見える「身体」を関係づけることができるのでしょうか。『心の概念』を書いたイギリスの哲学者ギルバート・ライルだったら、「カテゴリー・ミステイク」と言うところですが、この疑念は払拭されないのではないでしょうか。

この大きな枠組みを念頭において、見えない「こころ」をどうみるかについて、それぞれ問答してみてください。古くからの輪廻説や骨相学と、現代の脳科学の知見を突き合わせてみると、どれほどの進歩があるのでしょうか。

第5章　肉体が滅んでも、「こころ」は生き続けるのか

人は死んだらどうなるのか。こうした問いを、漠然とした形でもっている人は多いと思います。

ある調査によれば、「〈生まれ変わり〉を信じますか？」という質問には、4割ほどの日本人が「信じている」と答えたという報告があります。あるいは、〈生まれ変わり〉とまでは言わなくても、「こころ」や魂がなんらかの仕方で死後も生き続ける、と感じている人は少なくないかもしれません。

死んだ後でも「こころ」が生き残る——こう言えば、迷信的な話のように受け取られるかもしれません。しかし、昔話だけでなく、現代でもしばしば見聞きします。あるいは、最先端の科学と結びつけた形で、霊界や死後の世界が語られ、メディアで大きな話題とな

ることもあります。

ここから分かるのは、科学がどんなに進んでも、「こころ」の永続性や魂の不死性は信じられることです。これは、宗教の起源をなすだけでなく、哲学の源泉ともなっています。こうした考えがどこへ向かうかは別にして、私たちが「こころ」について考えるとき、背景的な基盤となっているのは、おさえておきましょう。

そこで、この章では、歴史をふり返りながら、「こころ」の永続性について考えてみることにします。

「こころ」と肉体の分離が前提。輪廻説からイデア論へ

「人は死んでも、『こころ』は生まれ変わる」という思想は輪廻説と呼ばれます。この考えは、古くから東洋にも西洋にもあります。たとえば、古代インドでは、人間だけでなく動物を含めた生類が「生まれ変わる」ことが信じられていました。

同じころ、古代ギリシアでも、数学者であり哲学者のピタゴラスが「生物類縁」の考えをもって、人間と動物のあいだでの「輪廻転生」を語っていたようです。たとえば、次のような報告が伝えられています。

＊＊＊

ある時ピタゴラスは子犬が打たれているところに通りかかり、これをあわれんで次のように言ったという。「よせ、ぶつな、たしかにこれは私の友人の魂（プシュケー、「こころ」。以下同じ）だ。声を聞いて、私はそれと分かったのだ。」

（内山勝利編『ソクラテス以前哲学者断片集』第2分冊）

次のようなことはピタゴラスが言ったこととして一般によく知られていた。すなわち、第一に魂（「こころ」）は不死であること。第二に魂は他の種類の動物に生まれ変わること。さらに第三に、生成したものはある周期にしたがってふたたび生まれてきて、絶対的な意味で新しいものは何もないということ。そして、魂をもって生まれてきたものはすべて同族的なものであると考えなければならないということ、以上のような教説を最初にギリシアにもたらしたのはピタゴラスであったように思われる。

（同書）

＊＊＊

言うまでもありませんが、こうした輪廻思想では、あらかじめ魂（「こころ」）と肉体の分離が前提されています。というのも、「こころ」が肉体から独立しているからこそ、さまざまな肉体に宿ることも可能だからです。

ピタゴラスの思想から、「こころの不死」を高らかに宣言したのが、プラトンの哲学です。ただ、プラトンでは、人間と動物の輪廻転生は語られません。しかし、その根本にあった、「こころ」と肉体との分離という考えは、しっかりと受け継がれています。人間の「こころ」は肉体からは独立しており、たとえ肉体が滅んだとしても、「こころ」は生き残るわけです。

こうした「こころ」の理解にもとづいて、哲学理論として形成されたのが「イデア」論と呼ばれるものです。「イデア」というのは、感覚によって得られる個々の具体的なものとは違って、知性によって捉えられる普遍的な性質です。

少し簡略化して示しますと、たとえば、目の前にいる「ポチ」や「タロー」や「ハチ」について「犬」と呼ぶとき、この「犬」はポチにもタローにもハチにも当てはまります。それらの感覚的な個々のものとは違った、普遍的なあり方をしているもの——こうした「犬」に当たるものを、プラトンは「イデア」と呼んだのです。関係を図示すると、図5－1のようになります。

近代になると、こうしたイデアは「idea（アイデア）」のように、頭にあるイメージのように考えられますが、プラトンが「イデア」と呼ぶのは、個々の具体的なものとは違っ

図5-1 プラトンが唱えた「イデア論」

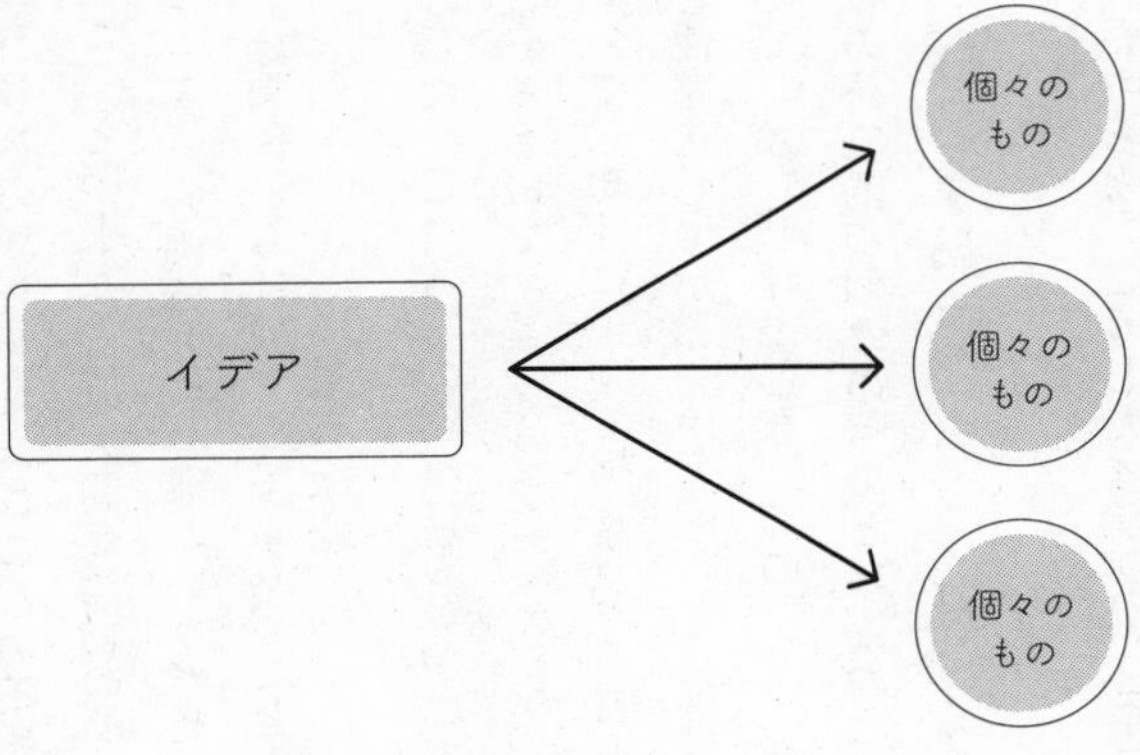

て、独立した存在と考えられています。

こうしたイデアを、人間はどのようにして知ることになるのでしょうか。

このとき重要な役割を果たすのが、「こころ」と肉体の分離という発想です。

それについて、プラトンの代表作である『パイドン』を使って説明しましょう。少し神話的に感じるかもしれませんが、発想としては理解できるでしょう。

まず、人間の生涯を考えるとき、誕生と死がその両極になります。この二つはともに、「こころ」と肉体の関係（結合と分離）で規定できます。**生まれることは「こころ」と肉体が結びつくことであり、死ぬことは両者が分離すること**に他なりません。

プラトンによれば、人間は誕生する前に「こころ」によってイデアの知識をもっていました。ところが、誕生して肉体と結びつくとき、そのイデアの知識を忘却したのです。そこで人間は、誕生した後で個々の感覚的なものを機縁にして、そこからイデアを想起するというわけです。この知識の想起説が、「こころ」の不死性と結びつく理由について、プラトンは暗示的に語っています。

＊＊＊

私たちにとって学びとはまさに想起にほかならないという説で、これに従えば、私たちが今想い出すことを、私たちはいつか過去の時にどこかで学んでしまっているというのが必然なのです。このことは、もし私たちにとって魂〔「こころ」〕がこの人間の姿に生まれる以前にどこかで存在していたのでなければ、不可能なのです。従って、この点でも魂はどうやら不死のものであるようです。（プラトン『パイドン』）

＊＊＊

現代では、イデア論や「こころ」の不死性を主張することはなくなりましたが、**経験に先立つ先天的知識については今でも完全に否定されてはいません。**また、「こころ」の不死性についても、信仰のレベルでは、なくなったわけではありません。

伝統的な形而上学にうってつけの問題

哲学において、「こころ」の不死性を考えるとき、何よりも確認しておきたいのが「形而上学」という言葉です。

これは、アリストテレス以来、伝統的に哲学と同じように語られてきましたが、複雑な事情もあって、その内実は必ずしも明確ではありません。そこで、あらかじめ、この言葉の意味を確認し、「こころ」の不死性について考えることにしましょう。

歴史的に言えば、「形而上学」に当たる言葉はアリストテレスの著作（『形而上学（Μεταφυσικά）』）から使われるようになったのですが、このタイトルはアリストテレス本人がつけたものではありません。後年の人々が、アリストテレスの全集を編集するさいに、採用したものです。

形而上学（メタ・フィシカ）というのは、コトバの作りとしては「メタ・自然学」となります。「メタ」の直接の意味としては「～の後」となりますので、「自然学の後の著作」というほどの扱いです。

アリストテレスとしては、この著作（『形而上学』）で取り扱うものを「第一の哲学」と呼んでいたのですが、基本的なテーマが二つありました。一つは「存在としての存在」であり、もう一つが「神」的なものです。そのため、伝統的には「存在論」と「神学」が「形而上学」の内容とされてきました。しかし、「存在としての存在」と「神」がどうかかわるのかは、アリストテレスのなかでは明確に語られていませんでした。そのため、この関係をめぐって、長いあいだ論争が繰り広げられてきました。

その論争について触れることはしませんが、注目すべきことは、「存在としての存在」にしても「神」にしても、個々の具体的なもの（自然的な世界と呼んでおきます）を超えていることです。そのため、形而上学（メタ・フィシカ）の「メタ」は、単に「～の後」というだけでなく、「～を超える」という意味をもつようになったのです。こうして、「メタ・フィシカ（自然学）」は、「自然学の後（メタ）の学問」から「自然学を超える（メタ）学問」となりました。

このような「形而上学」の歴史のなかで、「神」とともに積極的に論じられたのが、「こころ」の不死性の問題でした。もともと、「こころ」そのものが物質的には捉えられないのですから、その不死についてはなおさらです。「こころの不死性」は、「自然学を超える学問」としての「形而上学」にとって、うってつけのテーマだったのです。

しかし、問題なのは、「こころの不死性」が、はたして学問として論証できるかどうかです。それは哲学のテーマというより、むしろ宗教に属するのではないか、という懸念です。信じることはできても、論証できなければ、「こころの不死」を哲学で論じる意味はどこにあるのでしょうか。

デカルトは「こころの不死性」をどう論証したか

18世紀を代表する哲学者イマヌエル・カントの場合、神の存在にしても、「こころ」の不死にしても、信じることはできるが論証できない、としています。それに対して、もう少し前の時代になると、いずれも論証できると見なされています。

たとえば、近代の創始者とされるルネ・デカルトを見てみましょう。形而上学を取り扱った彼の主著『省察』について、デカルトは次のように語っています。

＊＊＊

神と精神（「こころ」）という二つの問題は、神学よりも哲学によって証明されるべき問題のうちの主たるものである、と私は常々考えてきました。というのも、われわれ信仰のある者にとっては、人間精神が身体とともに滅びはしないこと、および神が存在すること

図5-2 デカルトとカントの考え

は、信仰によって信じればそれで足りることですが、無信仰の者においては、この二つが自然的理性によってあらかじめ証明されているのでなければ、いかなる宗教によっても、またほとんどいかなる道徳的な徳によってさえも、説得されないように思われるからです。（デカルト『省察』ソルボンヌ宛書簡）

＊＊＊

ここで分かるように、デカルトはカントと違って、神の存在と「こころ」の不死性を論証できると考え、『省察』で示したと語っているのです。

カントの場合、論証できないと考えたのに、デカルトはどうやって論証できると考えたのでしょうか。

デカルトとしては、論証できないという意見が多いことをじゅうぶん承知の上で、「こころの不死性」について次のように語っています。

精神（こころ）については、多くの人たちはその本性は容易に考察されえないと判断してきましたし、また若干の人たちは、人間的な論拠によっては、精神は身体と同時に滅ぶものと確信し、ただ信仰によってのみその反対が保持される、とあえて言う始末です。（同書）

＊＊＊

＊＊＊

こうした文章を読むかぎり、デカルトがきわめて困難な課題を引き受けていることが分かります。その課題を、デカルトが実際にどう実行したかについて、具体的にあとづけることはしません。それは『省察』全体の歩みをたどることになります。ここで確認しておきたいのは、デカルトの基本的な発想です。

というのは、『省察』のなかでデカルトが実行しているのは、「『こころ』の不死性」そのものを論証することではなく、むしろそのための前提を示しているからです。デカルトにとっては、この前提が論証されれば、「身体の破滅から精神の滅亡が帰結しないことを示し、かくして人間に来世の希望を与えるには」、じゅうぶんだからです。

その前提というのが、精神（こころ）と身体（からだ）が「異なる実体」であることです。「実体」というのは、「現存するために他のいかなるものをも必要としないような仕方で、現存するもの」と定義されています。厳密に言えば、こうした「実体」は神にしか当てはまりませんが、デカルトの場合、いちおう神の協力のもとで、「物体」と「精神」が実体と見なされました。

こうして、定義から言って、「こころ（精神）」は「からだ（身体、物体）」とは異なる実体ですから、物体・身体のように分割されたり、破滅したりしないわけです。デカルトの二元論（二「実体」論）に従えば、たとえ「からだ」が死んだとしても、「こころ」も一緒に消滅する、と考える必要はありません。

霊界の探訪者スウェーデンボリの登場

こうしたデカルトの二元論から、二つの方向が出てきます。一方で、人間の魂を非物質的な方向へ徹底化させると、「スピリチュアリズム（唯心論）」が出てきます。それに対して、物体・物質の方向へ徹底化させると、「唯物論」が出てきます。たとえば、18世紀のフランスの医師であり唯物論者のド・ラ・メトリは、『人間機械論』の冒頭で、二つの立場を説明しています。

人間の霊魂にかんする哲学者たちの諸説は、大別して二つとすることができる。第一は、もっとも古いものであるが、唯物論の学説であるが、第二は唯心論（スピリチュアリズム）の学説である。（ド・ラ・メトリ『人間機械論』）

＊＊＊

注意すべきは、唯物論にしても唯心論にしても、多義的な概念なので意味を限定することが必要です。ここでは、スピリチュアリズム（spiritualism）の方を見ておきましょう。

この言葉は、伝統的には物質よりも精神を重視する立場として「唯心論」と訳されますが、19世紀中ごろにアメリカで心霊現象の研究が盛んになり、「心霊主義」と呼ばれるようになりました。しかも、spiritism も使われるようになり、spiritualism との違いなども議論になったりします。ただ、一般には明確に区別されるわけではないので、spiritualism に唯心論と心霊主義の訳を確認しておきましょう。

このように、心霊主義がアメリカで一般的なブームとなったのは、19世紀の中ごろですが、それより1世紀ほど早く、**死者の霊と交信できる超能力者**として、スウェーデンの神秘家スウェーデンボリ（スウェーデンボルグとも表記）（1688－1772年）が、ヨーロッパで話題となっていました。彼は、自分自身の霊界の体験を書物として出版し、当時は超有名人となったのです。後に、ヘレン・ケラーや日本の仏教学者鈴木大拙にも、影響を与えています。今日でさえ、彼の信奉者が世界中にいます。その点では、**現代の心霊主義の源流**と見なすことができます。

彼の霊能力として有名なものを一つ挙げておけば、「ストックホルム大火事件」があります。それについては、具体的な状況が分かりやすいので、高橋和夫『スウェーデンボルグの思想』(1995年)から引用しておきます。

＊＊＊

『天界の秘義』の出版完了後わずか二年して、スウェーデンボルグは第七次外国旅行に発ちロンドンへ行った。そこで一年間に五冊の著作(「ロンドン五部作」と言われる)を出版して、一七五九年に帰国した。「スウェーデンボルグの千里眼」として後世の語り種となった事件は、この帰国の途次に起こったのである。

七月一九日、土曜の夕方のことであった。スウェーデンボルグはイギリスから帆船に乗って、スウェーデン西海岸の都市イェーテボリに到着した。そして同市の商人だった友人、ウィリアム・カーステルの夕食会に招かれた。現在もサールグレン家として残っているカーステルの家には、ほかにも一五人の客が招かれていた。

食事中、スウェーデンボルグは極度に興奮し、顔面が蒼白となった。不安と焦燥に満ちた様子で、彼は幾度となく食卓を離れた。そして、騒然となった一同に向かって、「今、ストックホルムで大火災が猛威を振るっている」と、告げたのである。そして落ち着きを失ったまま再び外へ出て行き、戻って来ると、ひとりの友人に向かって言った。

「あなたの家は灰になった。私の家も危険だ。」

その晩八時頃、もう一度外へ出て戻って来た彼は、大声で叫んだ。「ありがたい！ 火は私の家から三軒目で消えた。」

同夜、来客のひとりが州知事にこの話をしたため、知事の依頼に応じて翌日、スウェーデンボルグは火事の詳細を話した。火事のあった二日後、通商局の使者がストックホルムからイェーテボリに到着した。両都市は約四八〇キロメートルも離れていたが、この使者の火災報告とスウェーデンボルグの語った内容とは、薄気味悪いほど一致していたのである。


（高橋和夫『スウェーデンボルグの思想』）

＊＊＊

この視霊者に興味をもったのが、哲学者のカントでした。彼はスウェーデンボリに手紙を書いたり、『視霊者の夢』という本を匿名で出版したりしています。そのなかで皮肉たっぷりに論じていますが、心霊主義を無視できないと考えていたのは間違いありません。「こころの不死性」を論じる形而上学と、スウェーデンボリの霊能力はどれほど違うのでしょうか。

「信仰に場所を与えるために、知識を放棄した」カント

1781年に発表された『純粋理性批判』の序文の冒頭で、カントは「形而上学」の状況を次のように語っています。やや長いのですが、歴史的にも重要な文章なので、引用しておきます。

＊＊＊

人間的理性はその認識の或る種類において特異な運命をもっている。それは、人間的理性が、拒絶することはできないが、しかし解答することもできないいくつかの問いによって悩まされているという運命であって、拒絶することができないというのは、それらの問いが理性自身の本性によって人間的理性に課せられているからであり、解答することができないというのは、それらの問いが人間的理性のあらゆる能力を越え出ているからであ

図5-3 カントは「神の存在」を経験的世界では論証できないと考えた

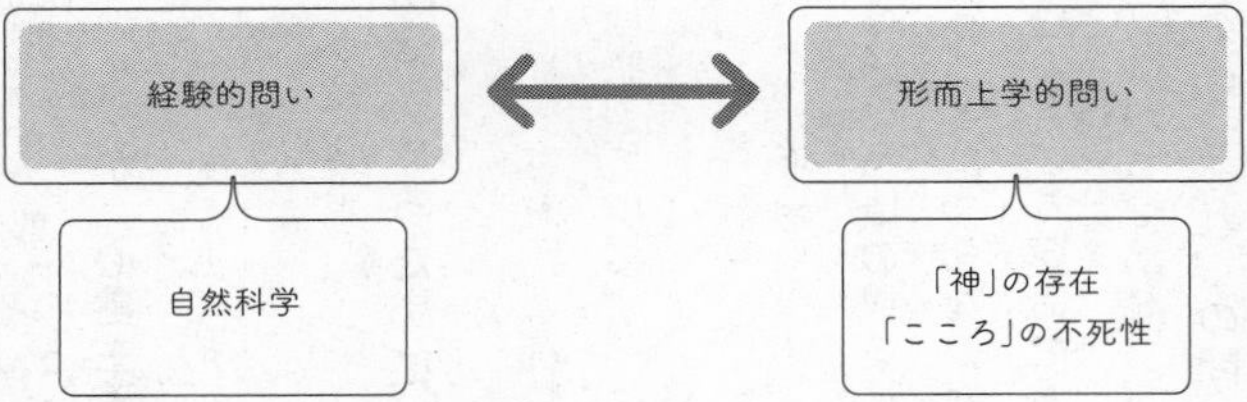

る。（……）この果てしない抗争の戦場こそ形而上学と呼ばれているものである。

（カント『純粋理性批判』）

＊＊＊

ここでカントが想定している問いを、二つほど挙げてみましょう。一つは**「神は存在するのか」**。もう一つは**「『こころ』は不死なのか」**。当時（18世紀）のキリスト教世界では、この二つは、信仰においてはもちろん肯定されていました。しかし、いずれも自然科学のようには、経験的に論証することができません。つまり、経験的には論証することができないとしても、信仰の次元では拒否できない問いなのです。

神にしても「こころ」の不死性にしても、

図5-4　デカルトからカントへ。1世紀で時代が大きく転換

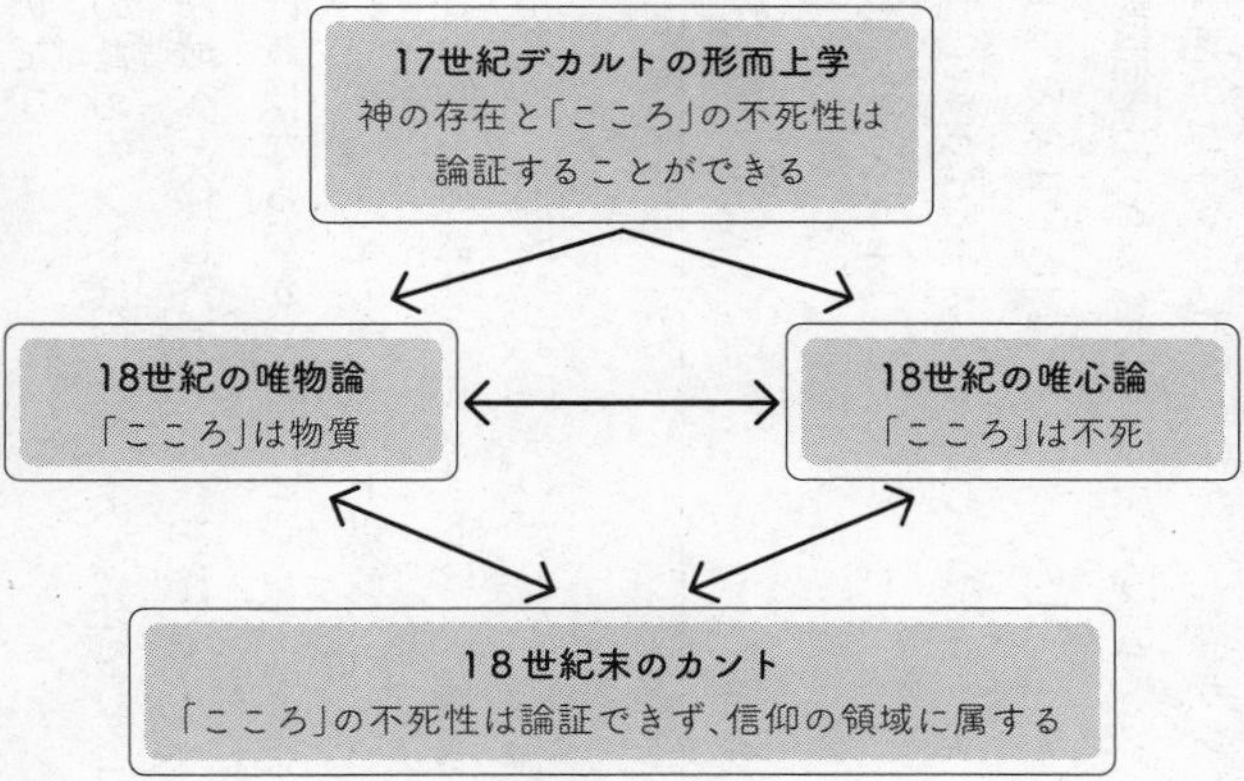
17世紀デカルトの形而上学
神の存在と「こころ」の不死性は
論証することができる
18世紀の唯物論
「こころ」は物質
18世紀の唯心論
「こころ」は不死
18世紀末のカント
「こころ」の不死性は論証できず、信仰の領域に属する

科学が議論する領域ではなく、形而上学において論じるべきものとされてきました。

カントはそのとき、いずれに対しても、**論証的には白黒はっきりできないと主張し**たのです。いずれも、経験的世界では論証することができないだけでなく、間違っていると論証することもできないのです。

カントによれば、「神」の存在や「こころ」の不死のような問題は、経験的な世界に属していないのですから、自然科学のように論証することも反証することもできません。ならば、**こうした問題が、まったく無意味になるかといえば、カントはそれも否定しています。**人間であるかぎり、そうした問いを立てるのは不可避である、と見

なすのです。

そのためカントは、「神」の存在や「こころ」の不死性といった形而上学の問題を、信仰の領域へと移したのです。それを彼は、**「私は信仰に場所を与えるために、知識を廃棄しなければならなかった」**と語っています。

そこで、17世紀のデカルト以後、18世紀末のカントにいたるまで、形而上学の問題の歴史的な推移を確認しておきましょう（図5－4）。これを見ると、わずか1世紀のあいだに、時代が大きく転換していたのが分かるのではないでしょうか。

本章のポイント

- 輪廻説とイデア論
- 「こころ」の不死性を論じる形而上学
- 「神の存在」と「魂（こころ）の不死」を証明しようとするデカルト
- 形而上学とスピリチュアリズム
- 「魂（こころ）の不死」にかんするカントの解決法

第6章　「こころ」は肉体に表われるか

「こころ」は直接に見たり、触れたりすることができません。それなのに、どうやって「こころ」を知ることができるのでしょうか。

第4章では、表情を通して、その人の「こころ」を理解できるかどうか、が問題になりました。しかし、表情以前に顔の造作そのもので、その人の「こころ」が分かると考えることもあるのではないでしょうか。たとえば、目鼻立ちがハッキリした人を見ると、何となく「こころ」も快活に思うかもしれません。

かつては、その人の人相と犯罪を結びつける学問さえありました。しかし、顔の造作と、「こころ」がどうして結びつくのか、必ずしも明確ではありません。

さらには、人相ではなく骨相、つまり頭蓋骨の形状によって、その人の「こころ」を理解する学問さえありました。今から考えると、非科学的な方法のように見えますが、当時としては最先端の科学として、脚光を浴びていました。この**骨相学だけでなく人相学も、当時としては科学的な研究と受け取られていた**のです。

このように、人間の「こころ」と身体の造作を結びつけることは、ある意味で科学的な方法によって進められていたのです。現在では、非科学的な迷信のように感じるものですが、どうしてそうした学問（？）が評価されていたのでしょうか。

しかし、こうした態度は、今日でもあまり変わっていないのかもしれません。たとえば、日本では血液型性格判断がけっこう人気ですが、科学的に立証されたわけではありません。それにもかかわらず、血液型と「こころ」との相関性を信じる人は少なくありません。数十年前は、入社試験の材料にされたこともあると言われています。

たしかに、**見えない「こころ」を知るためには、他のものを通して理解するしかありません**。とくにそれが、身体であれば、「こころ」と結びついていると見なすこともできるかもしれません。しかし、身体のどんな状態（造作）であれば、どんな「こころ」を表わすのか、はたして明確に規定できるのでしょうか。

この章では、今まで行なわれてきた「こころ」と身体との関係についての考え方に光をあてて、その相関性がどう考えられてきたのか、確認することにします。

顔から「こころ」を知る「観相学」が大流行

たとえば、人の顔を見て、直感的に「いい人」「悪い人」と判断することがあります。とくに初めて会う人だと、そのときの印象がその人に対する判断を決定することさえあります。ときには間違うこともありますが、だいたいは当たっていると感じる人が多いのではないでしょうか。

こうした人相術は、歴史的に古くから報告されており、もしかしたら人間の普遍的な技術なのかもしません。たとえば、アリストテレスの著作にも、「人相学」を論じたものがあります（実際にはアリストテレスの作ではないとされています）。ただその時代から、アリストテレスの学園で、人相術が論じられていたのは確かなようです。

こうした人相術は、その後も目立たない形でつづけられてきたのですが、スイスの改革派の牧師ヨハン・カスパー・ラヴァーターが『観相学断片』を1770年代に出すことによって、ヨーロッパ中に大流行したのです。ラヴァーターによれば、「観相学」というのは、「人間の外面的なものをつうじて彼の内面的なものを認識する技」とされます。「こころ」

は内面的なもので、他人には直接知りえないので、その人の「顔の特徴」を通して、理解しようとするわけです。そのために、ラヴァーターの著書には、数多くの横顔のスケッチが収録されています。

ラヴァーターによれば、顔を見てその人がどんな「こころ」の持ち主かを判断するのは、誰でも日常的に行なっています。それを彼は、「観相学的感覚」と呼んで、次のように語っています。

＊＊＊

すべての人間は、彼らすべてに眼があるように、何らかの程度の観相学的感覚をもっている。われわれが白と黒を熟考することなく、一目で区別するように、どの人間も熟考することなく、抽象することなしに、直ちに一目で、たくさんのよき人相と悪しき人相を、賢明な人相と愚かな人相を区別する。

（ラヴァーター『観相学断片』）

＊＊＊

ラヴァーターは、こうした観相学的感覚を、人間だけでなく動物も、昆虫ももっていると考えています。たしかに、犬の行動などを見ていると、よき人相と悪しき人相を見分けているようにも感じます。

しかし、問題なのは、その人の外面的な相貌と内面的な「こころ」の特性が、どうして対応していると言えるのか、という点です。人相が悪いので、その人の「こころ」や性格も悪い、と分かるのでしょうか。そんなことを現在言おうものなら、独断と偏見と批判され、「人を外見で判断してはならない」と諭されるかもしれません。

近代ドイツを代表する哲学者ゲオルク・ヘーゲルは『精神現象学』（1807年）のなかで、当時流行していた「観相学」を取り上げ、外面的な相貌と内面的な特性の結合は、「恣意的な結合」と語っています。

あらためて考えてみると、観相学は人に生まれつき備わっている「観相学的感覚」を単に述べるものではありません。むしろ、**数多くの顔の特徴からその人の内面的な性格を「法則的」に取り出す**ものです。その点では、学問の姿をしていて、人それぞれの直感とは異なります。そのため、この学問を、文豪ゲーテをはじめ当時の知識人の多くが、熱狂的に迎えたようです。

その点で、「観相学」は、18世紀後半にヨーロッパで流行した最先端の科学的理論と受けとられていたわけです。

次にブームとなった「骨相学」

観相学の流行の後で、ヨーロッパでは、人間の内面的なこころを知る方法として「骨相学」が流行しました。ただ、「骨相学」と言うと、骨の外形を見ることだと誤解されますが、**基本にあるのは「こころ」と脳の関係**です。その辺りを理解するために、まず創始者であるドイツの医者フランツ・ヨーゼフ・ガルの「骨相学」を見ておきましょう。

あらかじめ注意しておけば、「骨相学（Phrenologie）」という言葉は、ガル自身が使ったものではありません。ガル自身は頭蓋論（Schädellehre）と呼んでいたのですが、弟子であるヨハン・ガスパール・シュプルツハイムが採用して、一般に普及したものです。語源からすると、ギリシア語の「こころ（phrēn）」と「ロゴス」が結びついたもので、「こころの学」として構想されています。しかし、「こころ」といっても、直接には知りえませんから、それを表現する物質的なものが必要になります。

骨相学の場合、その基本となるのは脳の構造です。ガルは脳の解剖図を描いて、「こころ」と脳の関係を明らかにしたのです。そのとき、彼の念頭にあったのは、「こころ」のさまざまな活動（だいたい30ほどに分類しました）に対して、脳の特定の場所を指定するとい

図6-1　ガルは「こころ」—「脳」—「頭蓋骨」の相関性理論を説いた

う、いわゆる「脳機能局在論」です。**脳のどの部分が「こころ」のどんなはたらきに対応**するか、調べたのです。

彼は医者でしたので、最初は自分の患者たち、次には精神疾患のある人々や犯罪者なども調べ、**「こころ」—「脳」—「頭蓋骨」の相関性理論を精緻化**していきました。

もちろん、脳といえども、頭蓋骨に隠されていますから、直接見ることはできません。その特徴を知るための材料となるのが、頭蓋骨でした。というのも、「こころ」のはたらきは脳に影響を与えるのですが、「こころ」の力に応じてそれに対応する脳の部分を増大させるからです。この脳の部位の増大が、頭蓋骨の特定の場所に隆起をもたらす、というわけです。

たとえば、犯罪者の場合には、耳の上部に盛り上がりのある人が多く、そのため脳のこの部分に犯罪を行なう気質がある、と考えられました。それに対して、神父の場合には、頭頭部が隆起している人が多いので、脳のこの部分に信仰心や宗教心があると見なされたのです。

ここで分かるように、「骨相学」といっても、原語（「Phrenologie」）が示すように、「こころ」の学問として構想されています。しかも、「こころ」の状態（気質や性格）を表現・発現するのは、脳の構造です。そして、**脳の物質的な変化によって、頭蓋骨の変化が引き起こされる**のです。

こうした骨相学は、当時のヨーロッパで科学理論として受け取られ、とくに19世紀前半のイギリスではブームとなったようです。「ヴィクトリア女王が自分の子どもを骨相学者に診察させた」こともあったと言われています。また、悪名高いところでは、20世紀にナチス・ドイツが骨相学を利用して、「アーリア人」の優秀さを論証しようとしました。

しかし、そもそも「こころ」の優秀さと脳の形状がどうして対応するのでしょうか。これこそが根本問題なのですが、この関係は実際には明確ではありません。目に見えない「こころ」を知るために、頭蓋骨の形状によってアクセスしようという意図は理解できますが、**それがうまくいくかどうかは別問題です。**

そのころ話題になっていたので、ヘーゲルも『精神現象学』のなかで、「観相学」とともに「骨相学」を取り上げていますが、「こころ」（ヘーゲルの言葉では「精神」）と頭蓋骨を結びつける根拠がないと、厳しく批判しています。

そのため、当時は先端の科学理論と理解されたのですが、今日では骨相学も観相学も、「疑似科学」として理解されています。

犯罪者は見た目で分かるか

観相学や骨相学は、19世紀になると社会的に大きな影響を及ぼすようになりました。その一つが「犯罪学」です。イタリアの医者であるチェーザレ・ロンブローゾが、19世紀に犯罪人類学を始めたのですが、その基礎にあるのは観相学や骨相学でした。

たとえば、「犯罪者は見た目で分かるか」という問いに対して、ロンブローゾは具体的な絵や写真をつけて、肯定的に説明しています。

こうしたロンブローゾの考えには、「生来的犯罪者説」と呼ばれる基本的な発想があります。すなわち、彼によれば、犯罪者となる人は先天的に決まっていて、その人たちには身体的・精神的特徴が共通しているのです。そのいくつかを、ピックアップしておきましょう。

図6－2　犯罪者は先天的に決まっている?

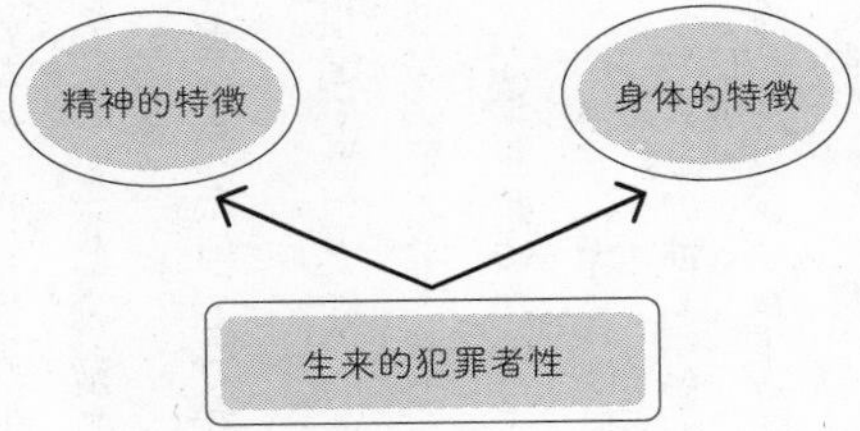

・身体的特徴
①小さな脳　②厚い頭蓋骨　③大きな顎
④狭い額　⑤大きな耳　⑥長い腕
・精神的特徴
①道徳的感覚の欠如　②残忍性　③衝動性
④怠惰　⑤低い知能　⑥痛覚の鈍麻

このリストを見て、どう思われるでしょうか。はたしてこの特徴で、〈犯罪者性〉を規定できるのでしょうか。考えやすくするために図式化してみましょう（図6－2）。

ロンブローゾの発想は、生まれつきの犯罪者的な性向は、その人の精神的な特徴だけでなく、身体的な特徴に明瞭に現われる、ということにあります。その観点から、「ポリグラフ」と呼ばれる「ウソ発見器」を考案したことでも有名です。彼は、そうした発想にいたった経緯について、次のように述べています。

＊＊＊

犯罪者、特に凶悪犯人の多くは、隔世遺伝によって血を好む性質をもって生まれて来る。彼らは、自然淘汰からこぼれた退化した人間であり、犯罪者となるべく運命づけられた者たちだ。その特徴は外面的には頭蓋や顔貌をはじめとした多くの身体的欠陥として現れ、内面的には肉体的苦痛に対する鈍磨、情緒的な反応の欠如などの精神的な欠陥として現れる。彼らにとって犯罪は本能による仕業であるから、他に適法行為を選択する余地はなく、道義的な非難という意味での処罰は間違っている。彼らに真に必要なのは、処罰ではなく、社会防衛のための治療なのだ（治療不可能な凶悪犯人は、排外、すなわち死刑しかない）。

（ロンブローゾ『犯罪人論』）

＊＊＊

こうしたロンブローゾの理論は、20世紀になると批判が巻き起こり、犯罪者性と身体的特徴には共通した明確な関連性が見いだせない、とされました。ロンブローゾの考えの基本には、犯罪者は進化の過程で退化した人であり、動物により近いという見方がありました。しかし、現在では、この見方は差別的な偏見にすぎず、**実証的には何ら根拠がないと**

されています。

それにもかかわらず、最近の調査によれば、多くの人が犯罪者について、「外見的に何となくピンとくる」と感じる、という報告もあります。科学的には生来的犯罪者説は否定されていますが、人々の常識的な部分には、人の外見（人相や骨格・頭蓋骨など）について、根強い先入観が残っているのです。

「人を外面的な部分で判断してはならない」というのは、基本的に正しいとしても、「人の『こころ』は外面にはまったく表われることはないのか」という問いには、留保する人が少なくないでしょう。

クレッチマーの理論は「分かるような気がする」のがミソ

人間の「こころ」のあり方を、外面的な身体的特徴によって捉えようとする志向は、ロンブローゾのような犯罪論だけではありません。そのなかで、20世紀前半にドイツで提唱されたクレッチマーの理論（類型論）は、「何となくの納得感」では犯罪論以上かもしれません。

これを提唱したのは、精神医学者であるエルンスト・クレッチマーです。彼は、人間の

図6－3　クレッチマーの「体型にもとづく」三つの分類

体型	気質	性格
細身型	分裂気質	真面目で繊細。あまり社交的ではなく内気。
肥満型	循環気質（躁うつ気質）	社交的で活発だが、温和さと激高が交互に見られる。
闘士型	粘着気質	几帳面で粘り強い反面、融通が利かず固執する。

体型にしたがって、三つの気質・性格を分類しています。彼が示した図をもとにして、掲載しておきます（図6－3）。

この分類を見ると、多くの人は自分の身近な人を思い浮かべ、「そうそう、当たっている！」と感じるかもしれません。クレッチマーは、内面的なこころの気質や性格を、観察できる外面的な体型と結びつけ、印象的な仕方で説明したのです。

クレッチマーの分類で興味深いのは、それを**天才や狂気といった両極端に広げて説明したこと**です。つまり、気質のタイプを分類する基準として、精神の病の三タイプ（「精神分裂症」「躁うつ病」「てんかん」）を使ったのでした。現在の精神医学の考えでは、そもそも名前すら変わっています。かつて精神病の中核に置かれた「精神分裂症」や「躁うつ病」は、現在では「統合失調症」や「双極性感情障害」と呼ばれています。また、「てんかん」は現在、精神の病というより脳疾患として取り扱われています。

したがって、クレッチマーが気質の分類の基礎とした三つのタイプは、厳密な精神の病というより、むしろイメージ化された精神病と理解した方が適切です。そのため、気質としては「分裂気質」「循環気質」「粘着気質」と呼ばれます。クレッチマーは、三つの狂気のタイプに対応するものとして、人間の気質の三つのタイプを示したのです。

しかし、一般の人に強烈な印象を与えたのは、気質の三つのタイプに天才の三つのタイプを対応させたことです。たとえば、哲学者のカントは分裂気質の天才と言われ、ゲーテや、大著『コスモス』を著した地理学者アレクサンダー・フォン・フンボルトなどが循環気質の天才と言われると、ストンと納得できます。さらには、ドストエフスキーが「粘着気質」の天才とされると、彼の「てんかん」という持病と合わせて理解が進みます。

少し想像をたくましくして、日本の文学者でイメージを膨らませてみましょう。たとえば、芥川龍之介や太宰治などは「分裂気質」、宮沢賢治や開高健などは「循環気質」、夏目漱石や森鷗外などは「粘着気質」といったところでしょうか。これはあくまでも、私のイ

図6-4　3タイプは対応する？　そもそも3タイプに分類できる？

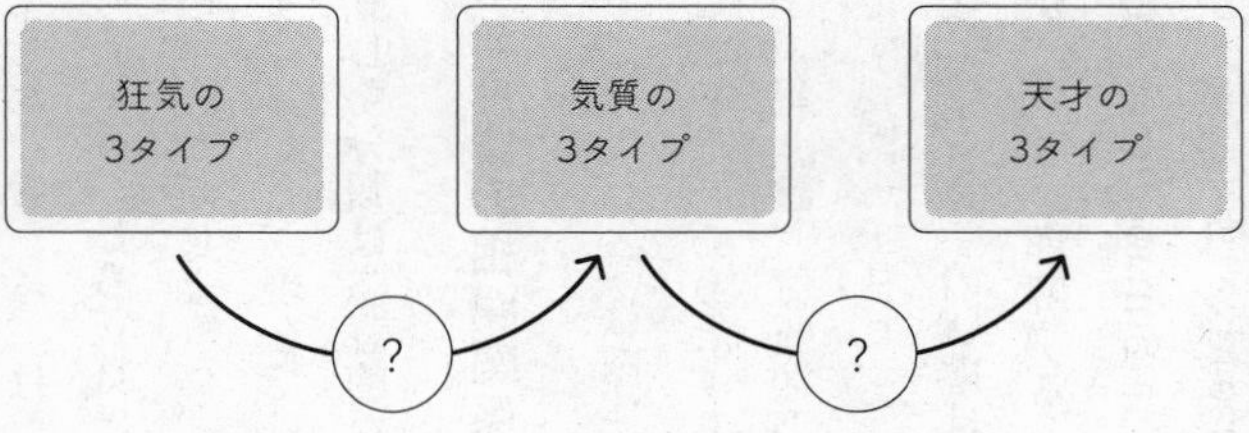

メージですが、おそらく「分かるような気がする」のではないでしょうか。これがミソなのです。**厳密な基準ではないが、イメージとして理解可能ということです。**

学生のころ、クレッチマーの三類型論を知ったとき、自分の専門に近い哲学者を分けて楽しんでいました。カントが「分裂気質」なら、フリードリヒ・シェリングは「循環気質」、そしてヘーゲルは「粘着気質」の天才になりそうです。それと同時に、自分自身や、周りの人々（教師や友人）などの気質を想像することができます。

しかし、狂気のタイプと気質のタイプ、天才のタイプがどうして対応するのか、よく分かりません。むしろ、はたして対応するのか、それ自体が疑わしいかもしれません。そもそも、気質にしろ狂気にしろ天才にしろ、三タイプになるのでしょうか。たしかに、血液型性格診断と同じように、五つ以内の分類であれば、分かりやすく、納得しやすいと言われます。しかし、現在では狂気を三つに分類すること自体が、放棄されています。むしろ、こうした分類は恣意的な分類なのかもしれません。

「こころ」と身体の相関関係の根拠は?

これまで、「こころ」は肉体に表われるかというタイトルで、外面的な身体の状態から内面的なこころを知ろうとする試みについて、歴史的に見てきました。具体的には、観相学や骨相学、犯罪論、気質類型論などです。それぞれ内容は違っていますが、基本的な構造は共通です(図6-5)。

内面的な「こころ」の状態は、直接に知る方法がありません。そのため、肉体的な特徴、活動などが、それを理解するために手がかりとされます。このとき、使われるのが、「表現(ドイツ語でÄußerung)」という言葉です。これは文字通りの意味では、「外へ出すこと」ですが、英語ではexpressionと言いかえられます。

図6-5 「肉体」から「こころ」を知る試み

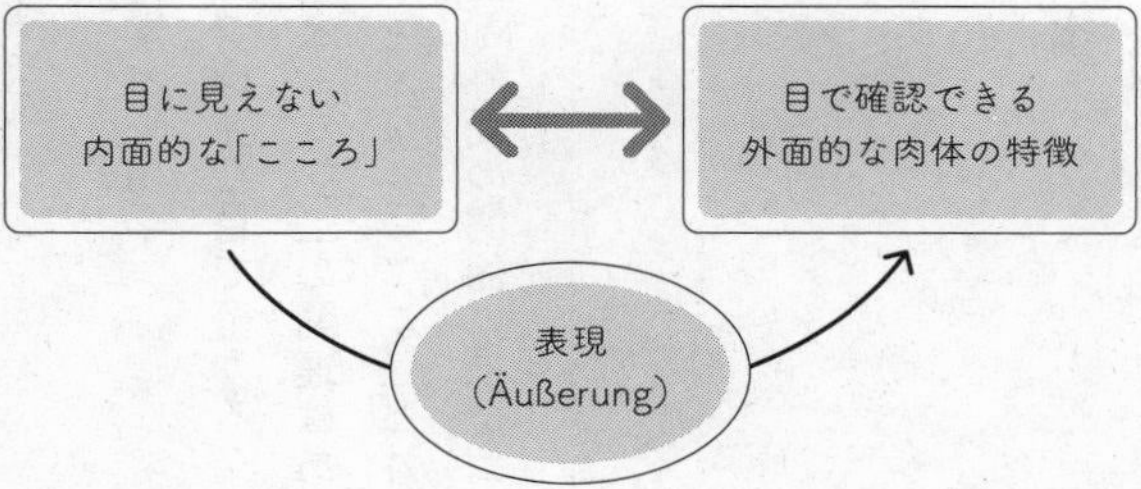

通常、「表現(Äußerung)」は言葉を使った表明に使われますが、これをヘーゲルは観相学にも骨相学にも、また手相術にも使っています。つまり、「こころ」の内面的なものを、物理的な肉体によって表現するという点では、言語と同じように理解できるわけです。

しかしながら、相貌や頭蓋骨の作りなどが、言語と同じように、はたして内面的なものの表現だと言えるのでしょうか。つまり、**内面的なものと外面的なものの関係は、どこまで根拠があるのでしょうか。**

本章のポイント

- 観相学と骨相学
- 犯罪者は見た目で分かる？
- 体型と「こころ」の関連はあるか？
- 目に見えない「こころ」と外面的な肉体の関係
- 内面と外面の関係に根拠はあるか？

第7章 脳やDNAを見れば、「こころ」が分かるか

20世紀末の最後の10年は、「こころ」にかんする大きなプロジェクトが組まれた時期でもあります。1990年にアメリカでは、「脳の10年」と「ヒトゲノム計画」が開始され、これらが完了すれば、「こころ」についてもっと解明も進むだろうと期待されました。生命科学や神経科学といった最先端の科学テクノロジーによって、今度こそ内面的な「こころ」が、白日の下に露わになる——こう考えられたのです。

21世紀になってどうなったのでしょうか。むろん、これが実現するかどうかは重大問題ですが、それにもまして、もし実現したとき今後私たちはどう生きていくのか、あらためて問い直す必要が出てきたのです。

脳研究は「こころ」を理解するための王道

現在の状況を確認していただくために、アメリカの脳神経科学者であるマイケル・S・ガザニガの説明を紹介しておきましょう。少し長いのですが、専門的な話題でありますので、厳密さのためにも、そのまま引用しておきます。

＊＊＊

現在、さまざまな脳メカニズムが研究されている。(……) 脳の変化が、心が変化するための必要十分条件であることはすでに明らかになった。近年では脳神経科学というジャンルのなかに、脳が心を生み出す仕組みを専門に調べる認知神経科学という研究分野も誕生している。

こうした二一世紀の脳科学の現状を受けて、昔ながらの問題を心配する声が高まってきた。自由意志と個人の責任の問題である。具体的に言うと、こういう考え方だ。心を決めているのは脳であり、脳は物質である。物質は、物質界を支配するあらゆる法則に従う。物質界に起きる事象は何らかの原因によって必然的に規定されているのだから、私たちの脳の活動も因果律によって決定されているにちがいない。脳が決定されていて、しかも脳

図7-1　脳科学の時代の「こころ」と「からだ」の関係

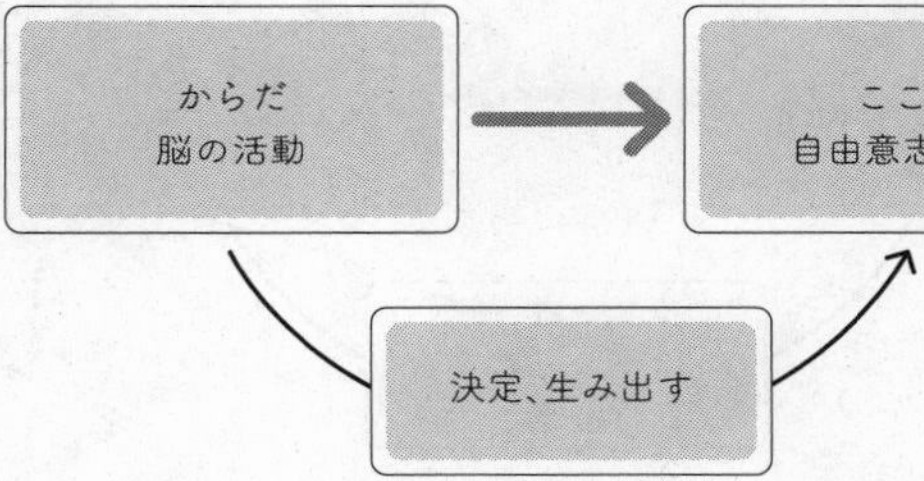

が心を生むための必要かつ十分な器官であるなら、次のような疑問が残される。心に生じる思考もあらかじめ決定されているのか。私たちが経験しているように感じる自由意志は、幻想にすぎないのだろうか。自由意志が幻想だとしたら、自分の行為に責任を負うとはどういうことかを考え直す必要がありはしないか。

この難問は、何十年も前から哲学者を悩ませてきた。だが、脳の画像化技術が到来してからは、哲学者だけでなく脳神経学者もこの問題を解き明かそうとしている。

（ガザニガ『脳のなかの倫理』）

＊＊＊

状況を直感的に理解できるようにするた

図7-2　脳科学の時代以前の「こころ」と「からだ」の関係

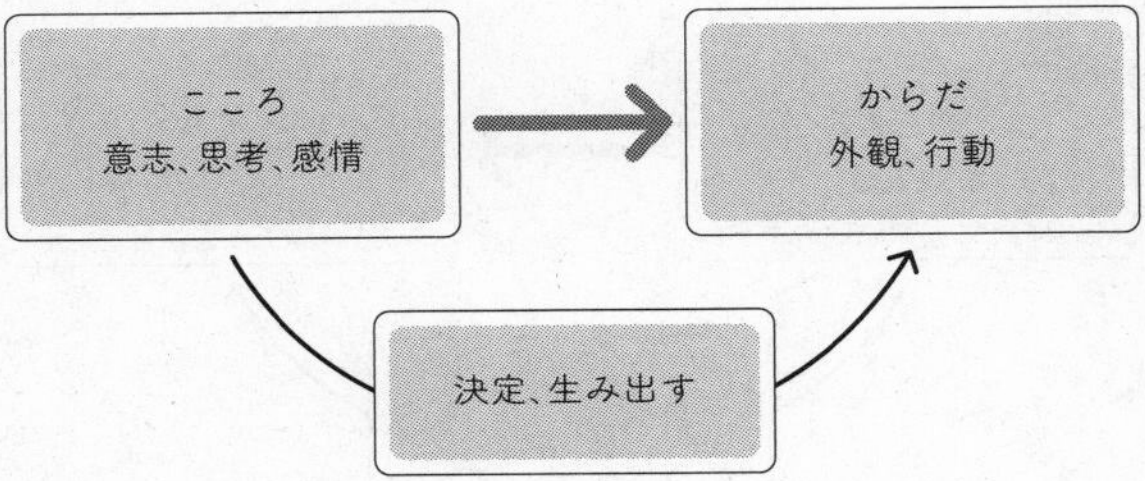

め、「こころ」と身体の関係を図示してみましょう（図7−1）。そうすると奇妙なことが分かります。

前の章で、「こころ」と肉体の関係が問題になったとき、内面である「こころ」がどのように外面に表われるか、という「表現（Äußerung）」の論理によって理解されていました。顔の造作にしても、体型にしても、その人の「こころ」の状態（原因）をつかむための手段だったのです。

ところが、**脳の時代になって原因と見なされるのは、「こころ」ではなく脳なのです**。対比のため、図示しておきますので、ご確認ください（図7−2）。

以前であれば、脳を解明するといって

も、サルなど他の動物を開頭して、脳の活動を観察するしか方法がなかったのですが、1990年代からfMRIなどの脳画像法技術が飛躍的に発展し、脳の状況を外から確めることができるようになりました。こうして、**人間の「こころ」の秘密が、科学的に明らかにされ始めています。**フロイトが夢について語ったレトリックをもじって言えば、「脳研究は『こころ』を理解するための王道である」となるかもしれません。

問題となるのは、この先何が引き起こされるのか、ということです。具体的に考えるために、ガザニガが示したストーリーを取り上げてみましょう。これは、殺人事件で逮捕されたハリーという人物をめぐって、将来引き起こされるかもしれない架空の裁判です。

＊＊＊

被告側の弁護士は、クライアントの脳画像から一画素分でもいいから異常を見つけたがっている。たとえば、犯罪に走りやすい素因を持っている、衝動を抑制するはずのネットワークがうまく機能していない、などだ。そうした異常があれば、次のような主張が成り立つ。「ハリーがやったのではありません。ハリーの脳がやったのです。ハリーに行為の責任はありません」

＊＊＊

（同書）

「殺人はハリーではなく、ハリーの脳がやった」

ガザニガにかぎらず、多くの脳神経科学者たちは、「普通より攻撃的な脳というのは確かに存在し、それを裏づける証拠もある」と語っています。脳の器質的な障害や神経回路の乱れによって、暴力行為や犯罪が引き起こされる、とも言われています。ある精神病理学者（福島章）は、「殺人は脳の病である」とさえ語っています。

現時点では、犯罪行為と脳の関係について、まだじゅうぶんに解明されているわけではありません。しかし、おそらく将来的には説得的なエビデンスが示されるだろう、と期待されています。とすれば、先の事例に対して、「殺人はハリーではなく、ハリーの脳がやった」と結論すべきでしょうか。

ところが、現代の脳神経学者であるガザニガは、そうした方向には向かわず、「私たちは、個人の責任という概念を捨てるべきなのだろうか」と自問した後で、次のように答えています（ただ、その根拠は示されていません）。

＊＊＊

脳と、心と、人の区別をつける必要がある。人は自由であるから、自らの行為に責任を

負う。脳には責任はない。 （同書）

この答え方は、ある意味では常識的ですが、脳神経学者のガザニガの議論としては、少しばかり期待外れです。

＊＊＊

というのは、「脳が心を生むための必要かつ十分な器官」と言ったのですから、「殺人はハリーの脳がやった」とすべきでしょう。つまり、彼は問題を鮮明に打ち出したにもかかわらず、中途半端な議論に終わってしまったわけです。

それでも、ガザニガはこの問題の射程については、的確な示唆を与えています。というのも、**裁判の陪審員を想定しながら、次のような未来を予想している**からです。

＊＊＊

被告が恐ろしい犯罪を犯したのは、自らの自由な選択によるものか。それとも、被告の脳と過去の経験がその行為を行わしめたのであって、被告に選択の余地はなかったのか。現代科学の考え方と日々の現実がぶつかり合う場面ではたいていそうであるように、陪審員はこうした見方をすぐには受け入れないだろう。だが、私はあえてこう言いたい。どんなに厳しい陪審員も、そうせざるをえなくなる、と。いつかこの問題が、司法制度全体に

影を落とす日が来るからだ。（同書）

＊＊＊

ここでは、さりげなく書かれていますが、じつを言えば、近代社会そのものを根底から覆すような、きわめてラディカルな問題が提起されています。**脳神経科学の進展は、近代において自明視されてきた制度や考えを、根底から崩すことになるのです**。とはいえ、脳神経科学の進展がどうして近代の制度や思考を揺るがすのか、あまりピンとこないかもしれません。そこで、この点について、違った側面から、説明することにしましょう。

脳神経科学が予言する「近代社会の黄昏」

歴史的観点から言えば、近代社会では、**人は理性的な判断能力をもち、各人の意志にもとづいて行為を自由に選択できる**、と見なされてきました。こうした自由意志が前提されるからこそ、犯罪を行なえば、その責任をとることになっています。

たとえば、ある状況において、犯罪をするかどうかは、あらかじめ決定されているわけではありません。**犯罪を選択しないこともできたのに、あえて意志的に選択したというわけです**。だからこそ、その犯罪（を選択したこと）に対して、責任がその人に帰せられる

図7－3 フーコーが明らかにした責任主体にもとづく「こころ」の矯正

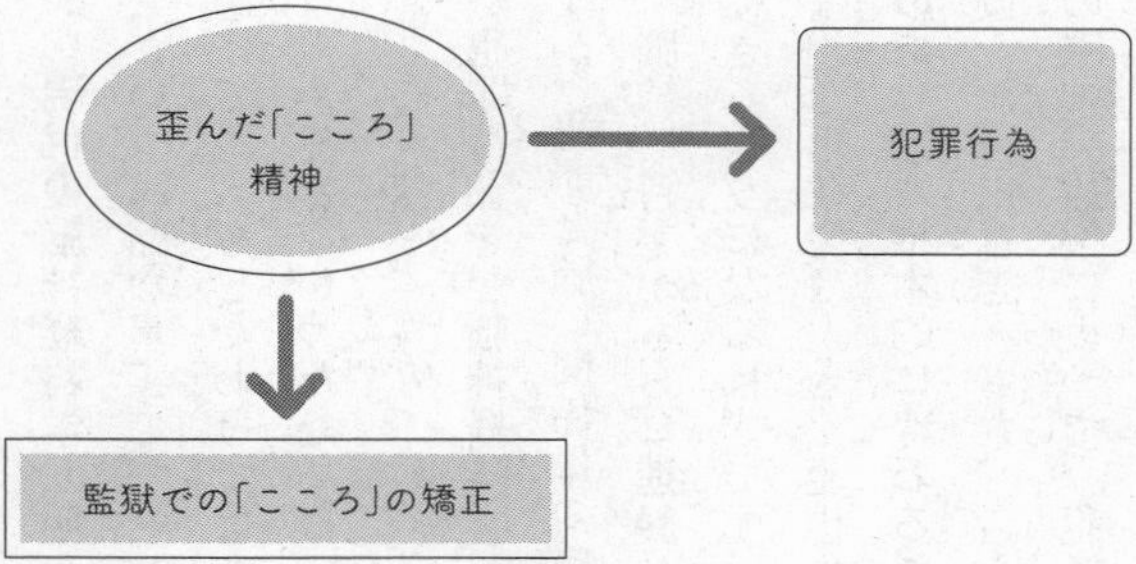

のです。

この点は、処罰についても同じように考えられています。フランスの哲学者ミシェル・フーコーが『監獄の誕生』（1975年）で明らかにしたのは、近代社会では犯罪を行なえば、監獄に収容され、規律正しい生活を送りながら反省を深め、自分自身の精神（こころ）を矯正しなくてはならないということです。「こころ」が歪んでいるので、犯罪をしたのだから、監獄でその「こころ」を矯正するわけです（図7－3）。

こうした制度は、「近代的な自由な責任主体」という考えにもとづき形成されています。反省したり、矯正したりできれば、犯罪を行なわないことも可能である、という自由意志が前提されているのです。

ところが、**現代の脳神経科学が明らかにしつつあるのは、こうした自由意志など幻想にすぎない、という冷酷な事実です。**ハリーの場合、殺人をしないこともできたのに、自分の意志であえて殺人をしたわけではありません。むしろ、脳の器質的な異常や、神経回路がコントロールできなかったために、殺人をせざるをえなかったのです。そのとき、彼には、他の選択の余地などなかったのです。まさに、「ハリーの脳が殺人をやらせた」のです。

こうした犯罪行為を、脳神経科学がどこまで具体的に明らかにできるかは、今のところ未知数ですが、犯罪と脳の関係について、少しずつ解明されつつあるのは否定できません。とすれば、脳神経科学がさらに進展していけば、犯罪行為を脳の物質的状態によっていっそう説明できるようになるはずです。

とすれば、未来社会は大きく変化するのではないでしょうか。**脳神経科学の研究によって、処罰のあり方が根本的に変わることになるでしょう。**今まで、監獄に犯罪者を収容するのは、彼らが自由意志をもち、自ら反省・矯正できる責任主体だったからです。ところが、現代の脳神経科学によって、犯罪は脳が原因で行なわれたということになれば、犯罪者を監獄に収容したところで、反省も矯正も不可能です。

むしろ、犯罪を生み出した脳に変更を加えないかぎり、犯罪がなくなることはありません。監獄に対して、犯罪者を社会から隔離するだけの施設と考えれば話は別ですが、近代的な制度のように反省・矯正の施設とみなすならば、その効果は期待できません。脳神経科学がこうした方向へ進んでいくと、今後どのような対策が必要になるのでしょうか。

脳神経科学と「コントロール社会」との深い関係

この問題を考えると、最終的にはオーストラリア出身の哲学者ピーター・シンガーが、2012年に「ニューヨーク・タイムズ」紙で語った記事に行きつくかもしれません。彼は、犯罪者の矯正について、次のような興味深い提案をしています。

＊＊＊

脳科学の研究は、他人を援助する道徳的な人と援助しない非道徳的な人の脳で、どのような生化学的相違があるのか明らかにしてきた。この研究が続けば、やがては道徳ピル（他人をより援助するようにさせる薬）に行きつくだろう。そうなると、犯罪者たちに、刑務所に行く代わりに、道徳ピルを飲むという選択肢を提示できるかもしれない。また、政府は、国民の脳を検査して、犯罪を行ないそうな人々を見つけ出し、彼らに道徳ピルを飲むように提案することもできるだろう。もしこれを拒否したら、いつでも居場所が分かるように、GPSを取りつけたらいいかもしれない。

（シンガー「道徳ピルの用意はできているか？」）

＊＊＊

「道徳ピル」という発想を奇妙に感じる人もいるでしょう。しかし、現代の脳神経科学の方向を考えると、当然出てくる提案でしょう。もし、犯罪行為の原因が脳にあるとするなら、それを矯正するには脳にはたらきかけることが有効です。現在でも、「こころ」の病に対して、薬物療法が実施されています。とすれば、**「犯罪者に対して道徳ピルを！」という提案**は、説得力をもつように思われます。

しかも、シンガーの提案では、犯罪者の矯正というだけでなく、犯罪の予防という観点からも「道徳ピル」が語られています。政府が国民の脳を定期的に検査して、「犯罪を行ないそうな人々」を発見するわけです。そこで、「犯罪者脳」と「反道徳的脳」が検出されるとき、予防のために彼らに「道徳ピル」を処方するのです。もし彼らが、服用を拒否するなら、GPSを取りつけて、彼らの居場所を徹底的にチェックするわけです。

こうしたシンガーの提案を見ると、**現代の脳神経科学研究が人間をどこへ導こうとして**

いるのか、明らかになってきます。2015年に『「私」は脳ではない』を出版したドイツの哲学者マルクス・ガブリエルは、脳神経科学の研究と「コントロール社会」との深い関係を語っていますが、シンガーの記事を見るとそのつながりが、明白な形で示されています。

ゲノム解析は「死刑宣告」？

ここで20世紀末のもう一つのプロジェクト、「ヒトゲノム計画」について考えてみましょう。これは、人間の「ゲノムの全塩基配列を解析する」という目標をもっていました。この計画が立てられたとき、社会では「人生のすべてが予知されてしまう」といった不安が醸成されました。

その一つに、人のDNAが解読されてしまうと、人間の未来があらかじめ予測されてしまい、もはや生きる意味が失われるのではないか、というものがあります。とくに、**今のところ発症していない重大な病が予言されたとき**、それに対して予防する手段も治療する方法もない場合に、実際には予言された方がいいかどうかは、すぐには決められません。

たとえば、ハンチントン病という遺伝病がありますが、これは30代のころに発症することが多いとされています。ただ、いったん発症すると、手足が自分の意志とは関係なく動いたり、いら立ちやうつ状態が続いたりします。これが進むと、やがては自分ひとりで日常生活を送ることが困難になる、と言われています。

こうした病に対して、ヒトゲノムの解析は大きな力を発揮する、と見なされました。ハンチントン病の患者のDNA構造では、通常とは異なる特徴的な塩基配列が見いだされるからです。そこで、現在のところまだ発症していなくても、DNA解析を行なうと、将来的な予測が可能になるわけです。そこで、将来起きそうな事例として、次のようなことが検討されました。

父親がハンチントン病だったが、自分はまだその症状が発症していない学生（Aとする）の場合、自分が今後その病が発症するかどうかを知るために、ゲノム解析を受けた方がいいのか、思い悩んでいる。というのも、この検査によって、10年後に発症する可能性が高いと言われても、現在の時点では予防することも治療することもできないからだ。

この学生（A）は、検査した方がいいのだろうか？

ヒトゲノム計画以後、こうした事例は単なる可能性ではなく、現実にもそうした選択に直面する人も出てきました。その場合、ゲノム解析の結果は、いわば死刑宣告のように受け取られたのです。もちろん、ヒトゲノム計画によって明らかになるとされたのは、この病気だけではありません。むしろ、将来において病気になるさまざまな可能性なのです。何歳のときに、どのような病気に罹患し、寿命は何年である、といった未来予測です。

そんなことが分かったとしたら、**私たちは何のために生きているのか、途方に暮れるの**ではないでしょうか。実際ヒトゲノム計画が発表されて、人間のゲノム解析が進むにつれて、人々の将来不安が高まっていきました。

遺伝子が分かれば「こころ」も分かるのか

この計画は、情報テクノロジーの発展とあいまって、当初の予定よりも早く、２００３年には完了しました。とすれば、ゲノム解析によって、人間の未来がじゅうぶん予言できるようになったのでしょうか。

当初の思惑では、ヒトゲノムを完全に解読することによって、病気をはじめ人間の身体的特徴や能力、さらには心理的性格や精神的特質・能力なども明らかになる、と期待されていました。

そのなかでも、とくに強い主張が遺伝子決定論と呼ばれています。それによると、人間のＤＮＡ、とりわけ遺伝子を特定すれば、病気だけでなく、身体的・精神的特質や能力も明らかにできる、と考えられています。「**遺伝子が分かれば、身体や『こころ』のあり方も分かる**」というわけです。それでは、２００３年にヒトゲノム計画が完了したことで、人間の特定の遺伝的な病気だけでなく、その他の身体的な特徴や能力、さらには心理的な特質や能力なども分かるようになったのでしょうか。

ところが、ヒトゲノム計画の完了によって分かったことは、身体的特徴・能力や心理的特質・能力について、決定的なことがほとんど分からない、ということでした。つまり、**分からないということが分かった、という皮肉な結果**です。

実際のところ、ハンチントン病などの遺伝的な疾患にしても、遺伝子が特定されても、それだけでは病気の発症が厳密に決定されるわけではないのです。何％の割合でその遺伝子が出現したとき、何％の割合で病気が発症するといった、いわば**統計的なことしか確定できない**のです。

ハンチントン病は、単一遺伝子に由来する疾患とされ、遺伝子と病気の対応は厳密な部類に属します。それにもかかわらず、この両者の対応関係は、かなりアバウトなのです。そのため、DNAを検査したからといって、病気の発症を厳密に予測できるわけではありません。

しかも、遺伝性の疾患でも、単一遺伝子に由来するものは、必ずしも多いわけではありません。とすれば、遺伝的な病気全般にかんして、「DNAを検査すれば、ただちに病気の予言ができる」などとは、決して言えないのです。

遺伝的な疾患でさえこうした状況だとすれば、その他の身体的な特徴や能力、さらには心理的な特質や能力にかんしては、いっそう困難なはずです。DNAの構造が分かったからといって、そこから身体や「こころ」にかんして、厳密なことが確定できるわけではありません。

その点を理解するために、遺伝子型と表現型という、よく知られた対概念を導入しましょう。遺伝子型というのは生物の遺伝的特性の基礎となる遺伝子構成であり、表現型というのは生物に現われた形質です。遺伝子型はDNAにおける四つの塩基（アデニン〈A〉、グアニン〈G〉、シトシン〈C〉、チミン〈T〉）の配列であり、表現型は生物の身体的・心理的特徴や能力と考えることにしましょう。

図7-4 「多対多対応」する遺伝子型と表現型

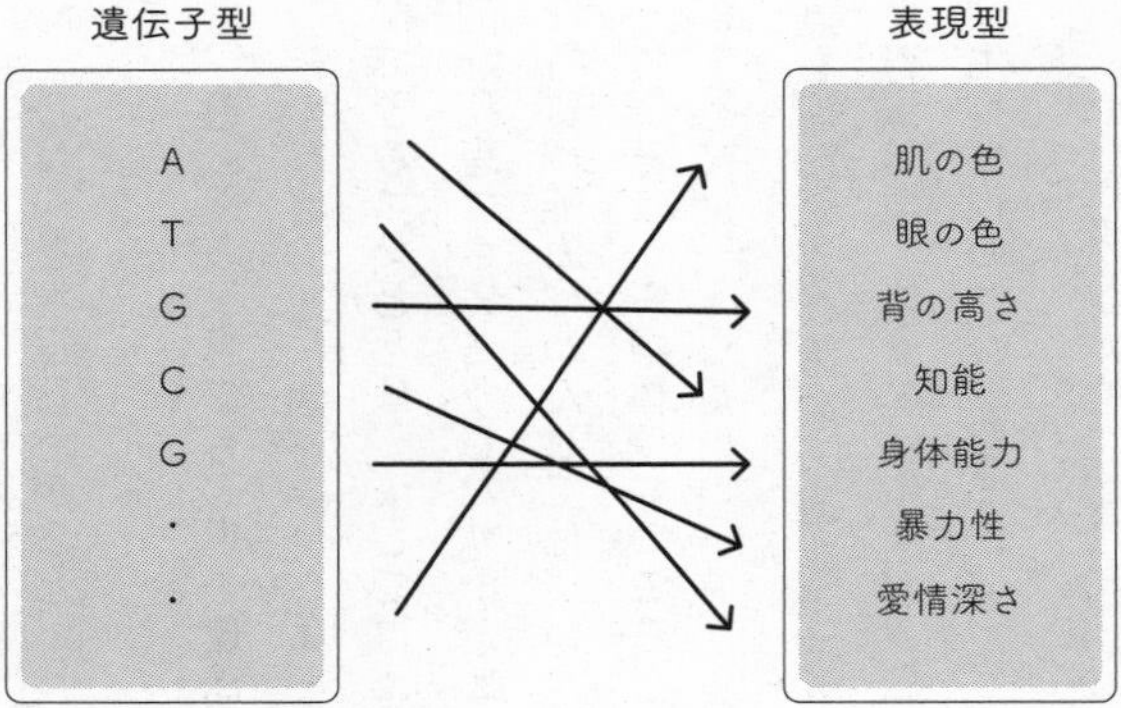

ヒトゲノム計画で解読されたのは、じつを言えば、遺伝子型の方だったのです。しかし、遺伝子型が解読されたとしても、そこから表現型がストレートに決定できるわけではありません。**問題となるのは、この両者の対応関係がどうなっているかです。**

しかも、事態を複雑にしているのは、この対応関係が多くの場合、単純な「一対一対応」にはなっていないことです。むしろ、**「多対多対応」が普通だと言われます**（図7-4）。

たとえば、ハンチントン病のように、単一遺伝子を確定できたとしても、それだけで病気の発症が決定されるわけではありません。むしろ、DNAの塩基連鎖のなかで、その遺伝子がどれほどの割合で出現するか、さらには出現したとき、どれほどの割合で病気が発症するか——こうしたことが、いわば統計的に分かるだけです。その意味では、現在のところ、「遺伝子が分かれば、その人の身体や『こころ』が分かる」といった遺伝子決定論には、ほど遠いと言わなくてはなりません。

脳と「こころ」の対応は未解明

同じことは、脳と「こころ」との対応関係についても言えそうです。一方で、脳と「こころ」が対応していることは、おそらく誰でも認めることでしょう。それにもかかわらず、その両者が厳密にどう関係しているか、必ずしも分かっていないのです。たとえば、犯罪行為と脳の関係について、積極的に語っている脳神経学者デイヴィッド・イーグルマンでさえ、現在の状況を次のように表現しているのです。

＊＊＊

脳と行動のあいだに強い関係があることはわかっているが、神経画像は未熟な技術であり、有罪か無罪かの判断に意味のある介入はできず、個別のケースではなおさらだ。画像検査法は高度な処理が行われた血流信号を利用し、数十立方ミリメートルの脳組織を対象とする。脳組織には、一立方ミリメートルにつき一億あまりのニューロン間シナプス接続がある。したがって現代の神経画像は、スペースシャトルに乗っている宇宙飛行士に、窓の外を見てアメリカがどうなっているかを判断しろと言うようなものだ。

（イーグルマン『意識は傍観者である』）

＊＊＊

こうした困難さは、決して脳画像法という観察方法の未熟さに由来するだけではありません。一方で、脳は物理的・科学的に観察可能なもので、さまざまな器具を使ってその状態やプロセスを測定できます。それに対して、こころや精神と呼ばれるものは、非物質的で内面的に理解するほかありません。行動となって物理的に観察できることもありますが、なぜその行動をとったのかを考えるには、やはり同じアプローチが必要です。

こうした事情もあって、**非物質的な「こころ」をどのように物質的な観察から理解するかが、真剣に考えられてきた**のです。すでに見たように、観相学や骨相学がヨーロッパで流行したり、精神医学では犯罪論や天才論・狂気論がさかんに議論されたりしました。今から見ると、何ともナイーブな議論に感じられますが、見えないこころや精神を、観察可能な物質によって理解しようとする姿勢は、現代流行している脳神経科学にも通じていま

図7－5　「脳の状態」と「こころのあり方」の関係性は解明できていない

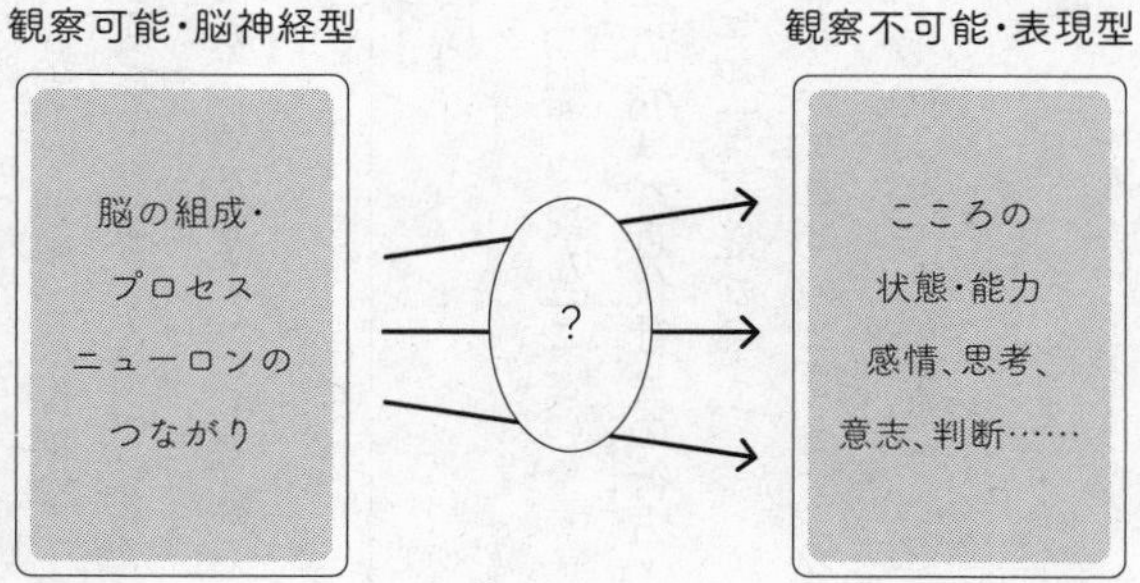

す。図示しておけば、図7－5のようになります。遺伝子型に対応するように、ここでは「脳神経型」という言葉を使っておきます。

たしかに、脳を物理的に観察すれば、腫瘍などの医学的な変化は研究できるでしょう。実際、そうした仕方で、脳にかかわる病気が発見されて、病気の治療に活用されています。それにもかかわらず、脳の物理化学的構造からは、こころや精神の特質や能力をただちに理解できるわけではありません。物理的な脳の状態（脳神経型）とこころの内面的なあり方（こころの表現型）について、今のところ、具体的に確定できることはそれほど、多くないようです。つまり、「脳が分かれば『こころ』が分かる」という状況には、ほど遠いのです。
とすれば、かつて観相学や骨相学が流行したことを、それほど笑えないかもしれません。脳の画像を見て、ある部分が「赤く光った」からといって、その人が犯罪者なのか、無実の善人なのか、分からないのですから。

本章のポイント

- 殺人は「脳がやった」こと
- 脳科学の発展と近代社会の行方
- 「道徳ピル」は可能か？
- 遺伝子が分かれば、「こころ」も分かる？
- 脳が分かれば、「こころ」も分かる？

第8章 「こころ」は場所や時代によって異なるか

今まで「こころ」の問題を考えるとき、基本的には人間の共通性が前提になっていました。「ヒトゲノム」は人間に共通のゲノムです。犯罪者を考察する場合、共通の「こころ」からどう外れているかが、問われたわけです。しかし、こうした人間の共通性は、現代において前提できるのでしょうか。

たとえば、よく耳にする「ダイバーシティ（多様性）」という言葉を考えてみましょう。教育の場でも、会社の採用試験でも、この「ダイバーシティ」が強調されています。人間はみな共通で同じというわけではなく、性別、民族、文化、言語などにおいて、それぞれ違っています。そのため、共通の尺度や原理を当てはめることはできないわけです。

歴史的に見ると、こうした考えは、第二次世界大戦が終わって、それまで植民地だった国々が解放されて、明確な形になってきました。それまで、欧米を頂点とした文化進化論のもとで、文化の普遍性や客観的基準が語られてきたのですが、そうした態度は文化帝国主義といって厳しく批判されるようになったのです。

この傾向は、文化人類学の流行とあいまって、文化相対主義という形で、急速に浸透するようになりました。この「文化相対主義」は、1930年代にドイツからの移民であるアメリカの人類学者、フランツ・ボアズによって提唱されています（ただ、この言葉を彼が使ったわけではないようです）。

簡単に言えば、「それぞれの文化にはそれ固有の考えや価値があるので、自分の文化の基準で他の文化を理解したり、判断したりすることができない」となります。そこで、**文化の「ダイバーシティ」を尊重**しよう、ということをめざします。

20世紀には、哲学のさまざまな主義が提唱されましたが、そのなかでいちばん人気のあった思想は何だったのか、問い直してみましょう。そうすると、おそらく「文化人類学」あるいは「相対主義的思想」という答えが返ってくるのではないでしょうか。これは、誰かが提唱した哲学というよりも、むしろ時代の傾向として考えると、よく分かります。

この章では、**「こころ」にとって多様性や相対性というものがどんな意味をもつのか**、具体的な問題に即して考えてみましょう。

こころ変われば、「こころ」も変わる?

「文化相対主義」がどれほど流行していたかを理解するため、その思考法の広がりを確認することから始めましょう。

1979年に、日本の科学史家である村上陽一郎が出版した本で、『新しい科学論』というものがあります。この本は、現在でもよく読まれていますが、そのなかに「虹は七色?」という話が論じられています。このとき、次のような体験談が語られています。

＊＊＊

アメリカで実際に体験したことですが、高速道路を車で走っているとき、小さなトンネルに入りました。そのトンネルの入り口が虹色に塗ってあったので、あんなところに七色も塗るなんて、ずいぶん手間をかけたもんだ、とつい口走ってしまいました。耳ざとく隣の席にいたアメリカ人が聞きとがめていうには、あれだけのわずかな時間に七色もの色を見分けたのか、と。

（村上陽一郎『新しい科学論』）

＊＊＊

この話がなぜ書かれたかといえば、日本人の著者は「虹は七色」と思っていたのに、アメリカではそうではないらしい、と気づいたからです。というのも、隣のアメリカ人は、「虹は六色」と主張したのです。日本人には「虹は七色」なのに、アメリカ人には「虹は六色」というわけです。いずれも、自分たちの分類を当然だと見なしていたのが分かりました。

この違いが生じるのは、日本では「藍色」が一つの色とされるのに、アメリカでは「青色」の一種と見なされることにあります。

＊＊＊

つまり、少くともアメリカ人の多くは、可視光線の連続スペクトラムのなかに、通常は六つの色しか認めていないのです。「青」から「紫」への移り行きの部分は、色調の変化はあっても、「色相」の変化はないと考えているのです。（同書）

＊＊＊

このとき、日本とアメリカのどちらの分類が「正しい」のか、と問うことは意味がありません。というのも、著者も注意するように、「学問的に厳密にいえば、七色というのも正確ではなく、基本的には十二色の色名が規格化されているのでしょうし、色相表ともなれば、もっともっと多くなりましょう」とされるからです。

それでは、この例から、結論としてどんなことが主張されているのでしょうか。そのヒントとなるのは、「虹は七色？」が論じられるとき、次のようなイヌイットの事例が語られていることです。

＊＊＊

エスキモー語は、日常使われる語彙《ごい》の数が少ないことで知られた言語の一つだそうですが、しかし、雪の降り方や降った状態については非常に細かく規定する用語があると言われます。そういう言語系をもった文化圏で育った人びとは、わたくしども日本人にはほとんどまったく同じに見える雪の状態を正確に分別し、識別することができます。（同書）

＊＊＊

ここから、**「色の見え方の違いは、文化や言語の違いによって異なる」**と主張されるわけです。この部分で「エスキモー語」が援用されたり、文化や言語の役割が強調されているのを見ると、文化相対主義の原則となった「サピア＝ウォーフの仮説」に由来するのが分かります。そこで、まずこの仮説を確認しておくことにしましょう。

「サピア＝ウォーフの仮説」が曖昧にしている点

「サピア＝ウォーフの仮説」と呼ばれているのは、文化相対主義を提唱したボアズの弟子エドワード・サピアによって骨格が示され、さらにサピアの弟子であるベンジャミン・リー・ウォーフによって明確化されたものです。

そのさい、イヌイットの言語やネイティブ・アメリカンの言語などが、しばしば参照されています。**人間の認識が文化や言語によって規定される**というもので、「言語決定論」などとも呼ばれたりします。

＊＊＊

言語は「社会的現実」に対する指針である。(……)「現実の世界」というものは、多くの程度にまで、その言語集団の習慣の上に無意識的に形づくられているのである。二つの言語が同一の社会的現実を表わすと考えてよいくらい似ているということはありえない。住みついている社会集団が違えば世界も異なった世界となるのであり、単に同じ世界に違った標識がつけられたものというのではないのである。(サピア、ウォーフ『文化人類学と言語学』)

＊＊＊

たしかに、言語にしろ、文化にしろ、それが人間の考えやものの見方に影響を与えることは、否定できません。たとえば、日本語の文化圏で育った人がイスラム圏に行けば、考え方や習慣に戸惑うかもしれません。

しかしながら、問題はその先にあるのです。というのも、言語や文化が違ったとき、実際のところ、はたしてどれほどの差異が生まれるのか、またそのメカニズムがどんなものか、必ずしも分かっていないからです。言語や文化が異なっても、共通する部分がゼロというわけではありません。そうでなければ、一緒に生活することはできないでしょう。人間と動物でさえも、共通部分はあります。

とすれば、必要なことは、**何（あるいはどこまで）が共通で、何が（どこから）違っているかを明確にすることです。**

しかしながら、「サピア＝ウォーフの仮説」では、その辺りが曖昧なまま残されています。差異を示すために、イヌイットの言葉やネイティブ・アメリカンの言葉が例として出されます。しかし、こうした例を見ても、「住む世界が違う」と言えるほどのものか、疑問に思うのではないでしょうか。

たとえば、虹を見て六色か七色かの違いは、正直なところ、あまり大差ないという感じではないでしょうか。真っ黒に塗ってしまえば、驚くかもしれませんが、世界にはそうした部族も存在しています。そしてその理由も分かっています。

文化相対主義といえば、しばしば現代特有の考えのように見なされていますが、実際には古くからありました。現代の科学哲学者であるカール・ポパーは、『フレームワークの神話』において、古代ギリシアの歴史家ヘロドトスの言を引用しながら、次のように述べています。

＊＊＊

歴史の父ヘロドトスは、ペルシア王ダリウス一世にかんするいささかぞっとするがきわめて興味深い逸話を語っている。ダリウス一世は、その版図内に住むギリシア人に、ある教訓を与えようとした。ギリシア人には死者を焼く習慣があった。ヘロドトスにはこうある。

「ダリウス王は、その版図内に住むギリシア人を招集し、彼らに、どういう報酬があれば自分の父が死んだときにそれを食い尽くすことに同意するか、と問うた。かれらは、何があろうとも決してそのようなことをしないと答えた。それで、ダリウス王は［死んだ］父を実際に食べるカリアッティ人（……）を招集し、通訳の助けを与えられたギリシア人の前で、彼らにどういう報酬があれば彼らの父が死んだときにそれを焼くことに同意するかと問うた。すると彼らは大声で叫び、そのような忌まわしいことを口に出さないようにと王に嘆願した。」（ポパー『フレームワークの神話』）

＊＊＊

ここでポパーが、なぜこの話を取り上げたのかについては触れませんが、**文化相対主義的考えが古くからあった**ことは、確認しておきたいことです。一見すると最新の考えのように感じますが、実際には同じ考えが古くからあったのは、この例だけではありません。

普遍的なはずの科学理論がひっくり返ることもある

ここで引用したカール・ポパーは科学哲学者ですし、その前の「虹は七色？」も「科学論」として提示されています。その理由はどこにあるのでしょうか。文化相対主義と科学理論の関係は、どうなっているのでしょうか。

「科学」といえば、一般的には、すべての人に共通で普遍的な知識を明らかにする、と考えられてきました。その展開については、真理に一歩一歩近づいていくというような、進化論的なイメージ（累進的発展）が支配的でした。先入観や偏見を取り去って、ものごと

図8−1 これまでの科学観

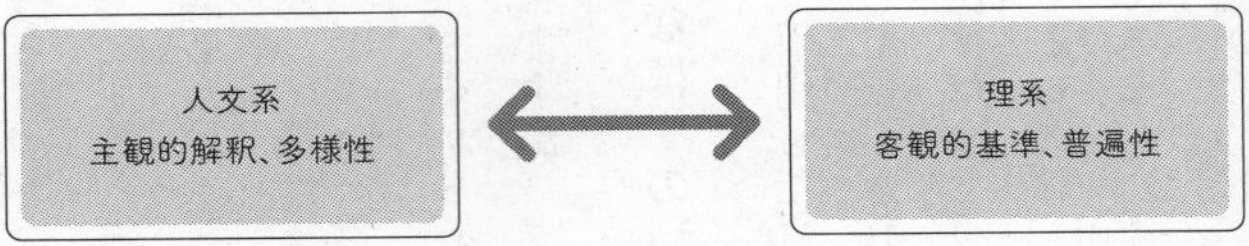

をありのままに観察し、客観的な基準にもとづく知識を形成する活動だと見なされたのです。

たとえば、人文系と理系といった対立で考えるとき、通常は、人文系には客観的基準がなく、主観的な解釈が横行する、と見られています。それに対して、理系の方は「科学」がモデルとなり、普遍的で客観的な知識を探究する、とされました（図8−1）。

こうした科学観に対して、20世紀後半に異を唱えたのが、アメリカの科学史家N・R・ハンソンやトマス・S・クーン、さらにはオーストリア出身の科学哲学者ポール・ファイヤアーベントでした。ハンソンは『科学的発見のパターン』のなかで、「理論負荷性」という概念を提唱しています。

ハンソンによれば、**何かを見るとき、知覚は「あらかじめもっている知識によって形成される」**とされます。たとえば、彼が示したある図は、「人の顔」か「ワイングラス」かという知識にもとづいて、見え方が違ってくるものです。「人の顔」という知識をもっていても、なかなか見えにくい図も挙げられています。こうして、同じものを見ても、「知識」が違えば、人によって見え方が違ってくると唱えたのです。

さらに「パラダイム」という術語を使って、印象的な科学史を描いたのが、トマス・S・クーンです。クーンは『科学革命の構造』において、次のように明言しています。

＊＊＊

パラダイムのようなものが知覚そのものの必須条件である。(……) 人が見るものは、彼が目を向けているものに依存するだけでなく、また彼の先行的な視覚的—概念的経験が彼に見るように教えたものにも依存しているのである。

(クーン『科学革命の構造』)

＊＊＊

最初に見た「虹は七色?」の議論は、こうしたハンソンやクーンの科学論に導かれて、書かれています。クーンは、自然科学の歴史を説明するため、「パラダイム」という概念を使ったのですが、これは、「模範となる例(見本例)」を意味しています。そこから、一般的には、「考え方の基本的な枠組み」のように拡大解釈されていきます。

このように、「パラダイム」概念を使うことで、クーンは自然科学の歴史を二つに分けることにしました。一つは「パラダイム」が根本的に変換するときで、「科学革命」と呼ばれます。もう一つは、「パラダイム」に従って科学が発展する時期で、「通常科学」と呼ばれます。こうして、科学の歴史は次のように理解されることになります。

科学革命→通常科学→変則事例の出現→競合するパラダイム→科学革命

文化や言語、パラダイムによって複数の「サングラス」が存在

パラダイム論にしろ、文化相対主義にしろ、基本にあるのは、一定の集団（たとえば、同じ文化、言語の人々、科学者たち）が同じような考え、知識、基準を共有するという点です。それをここでは、「サングラス共有論」と呼んでおきます。

ドイツの劇作家ハインリッヒ・フォン・クライストは、カントの『純粋理性批判』を読んだ後、婚約者に宛てた書簡（1801年）のなかで、次のように書いています。

＊＊＊

すべての人間が裸眼ではなく緑色のメガネをかけているとしたら、人間は、こうして自分自身の見ている対象それ自体が緑色であると判断するしかないでしょうし、自分の眼が事物を存在しているとおりの姿で見せてくれているのか、それとも、事物それ自体ではな

く自身の眼に由来するものを当の事物に付け加えてはいないか、いったいどちらなのかを決められなくなることでしょう。知性についても同じことです。わたしは、真理と呼んでいるものが本当に真理なのか、それともわたしたちにそう見えているにすぎないのか、どちらなのか決めることができません。

（クライスト『全集』別巻）

＊＊＊

クライストが読んだカントの議論では、サングラスは万人共通と見なされています。ところが、それから200年以上たった今日では、サングラスは文化や言語、パラダイムによって複数ある、と考えられています。**共通のサングラスをかけている人には、ものは同じ色合いで見えますが、サングラスが変われば当然色も違ってくるのです。**文化相対主義やパラダイム論が想定していたのは、こうした異なるサングラスです（図8－2）。

では、異なるサングラスになると、どうなるのでしょうか。

見え方が共通ではなく、サングラスによって変わってしまうのです。青のサングラスをかけている人々では、共通して青く見え、互いにコミュニケーションが可能になります。ところが、緑のサングラスをかけている人には、青ではなく緑色に見えます。そのため、青のサングラスをかけている人たちと緑のサングラスをかけている人たちでは、見え方が

図8-2　サングラスが変われば見え方も違ってくる

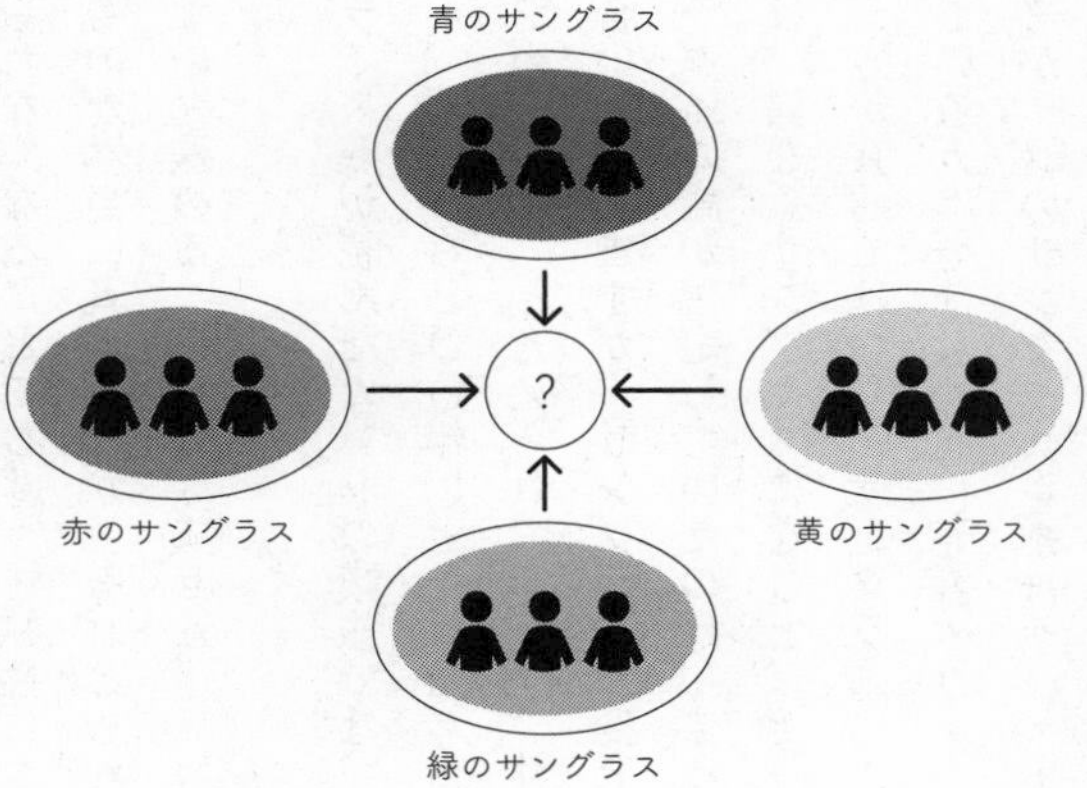

違っています。

一方は青だと主張し、もう一方は緑だと主張する、としましょう。このとき、**どちらの主張が正しいのかは、決定することができません。**青のサングラスをかけている人には青く見え、緑のサングラスをかけている人には緑に見える、となります。文化相対主義やパラダイム論の状況は、このように描くことができます。

異なるサングラスという状況は、今日ではいたるところに存在しています。問題なのは、このとき、どのような立場をとるのかということです。そのため、一つの例を出してみましょう。

イスラム文化圏などでは、古くから幼い

少女が婚姻を迎えるという「児童婚（少女婚）」が、今でも続いています。まだ10歳にも達しない子どもが、成人の男性と「結婚」することが、少なくありません。そのための悲劇がしばしば伝えられますが、これを文化相対主義で考えるとどうなるでしょうか。その地域では、「児童婚（少女婚）」は古くからの制度であり、認められています。これに対して、西洋文化圏の人々が批判することができるのか——おそらくこう問われるでしょう。

実際、国際連合のような機関でさえも、ジレンマを抱えていて、単純な解決策は見えてきません。国際連合は、第二次世界大戦の終結によって、以前の西洋中心主義的な考えから、文化相対主義の方向へ舵を切りました。ところが、こうした文化相対主義の立場では、「児童婚（少女婚）」のような事態には、有効に対処できないように見えます。もし、「児童婚（少女婚）」に反対すれば、西洋的な基準と批判されるでしょう。

とすれば、いったいどんな解決策があるのでしょうか。

勝てば官軍、敗ければ賊軍という「歴史的相対主義」

文化相対主義やパラダイム論とともに、相対主義として根強い考え方が古くからあります。これは、「歴史的相対主義」と呼ばれていますが、具体的な内容が分かるように、「勝てば官軍」理論と呼んでおきましょう。

「勝てば官軍」の直接的な意味は、江戸時代末期の内戦に由来しています。戊辰戦争において、明治政府軍と旧江戸幕府軍が戦ったのですが、「官軍」すなわち正統な軍隊と認められたのは、勝った方の軍隊であり、敗けた方は正統性のない賊軍として処罰されるわけです。こうして、**歴史的に見ると、正義とされるのは勝った方の集団であり、その支配が続くかぎり「正しい」**のです。

たとえば、「ピレネー山脈のこちら側での真理が、あちら側では誤謬である」と喝破したフランスの数学者であり物理学者でもあるブレーズ・パスカルは、その同じ『パンセ』（1670年）の中で次のように語っています。

＊＊＊

理性だけに従えば、それ自身正しいというようなものは何もない。すべてのものは時とともに動揺する。習慣は、それが受け入れられているという、ただそれだけの理由で、公平のすべてを形成する。これがその権威の神秘的基礎である。

（パスカル『パンセ』）

＊＊＊

この意味を理解するため、**「美人」についての基準**を考えてみましょう。今ここに、平安時代の美人のスケッチと現代の美人のスケッチがあるとしましょう。周りの人に、「どちらが美人だと思うか」と尋ねてみると、たいていは現代風の美人の方を「美人」だと判断します。

理由を聞くと、「現代の美人の方が、目が大きくて二重である。眉毛や歯が平安時代の美人は不自然」などといった点が挙げられるかもしれません。しかし、これらは、単に現在の私たちの美の基準であって、古代の人は当時の人を美人と見なすでしょう。まさに**「現在の習慣」が、基準を形成する**わけです。

そこで、もう少し問題を進めて、「奴隷制」の問題を考えてみましょう。

今日では、いうまでもなく「奴隷制は間違い」とされ、そうした制度が残っていたら厳しく批判されます。しかし、ご存じだと思いますが、プラトンやアリストテレスのような古代ギリシアの哲学者は、「奴隷制度」を当然だと見なしています（図8－3）。

こうした対立があるとき、私たちはどう考えたらいいのでしょうか。基本的な考えとして、三つの考え方を示しておきます。

①奴隷制度は間違いで、現代の私たちの基準が正しい。

図8-3 奴隷制度は正しい？　間違っている？

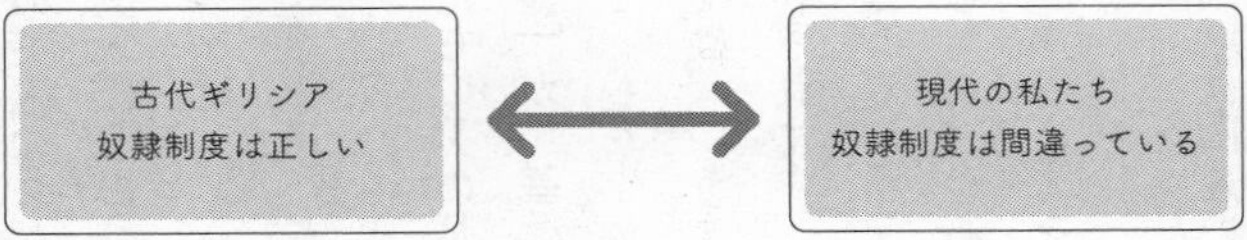
古代ギリシア
奴隷制度は正しい
現代の私たち
奴隷制度は間違っている

②奴隷制度が正しいか間違いかは、どのような社会かによって変わる。

③奴隷制度が正しいか間違いかは、それ自体では決定できない。

現代において、私たちが「奴隷制は間違いだ」と考えているのは、古代のギリシア時代が終わって、近代の民主主義社会になったからです。とすれば、万一、今後奴隷制社会が復活したならば、「奴隷制は間違いだ」と言えるのでしょうか。今の時代に「奴隷制が間違い」と考えているのは、そうした近代社会に住んでいるからでしょう。したがって、未来社会で、奴隷制が認められるならば、人々は「奴隷制は正しい」とするのでしょうか。

文化相対主義であれ、歴史的相対主義であれ、私たちは**自分が属している集団の基準を正当だと見なす**傾向があります。これを「自文化中心主義」と呼びます。これは、もしかしたら、エゴイズムの一種かもしれませんが、これから完全に脱却することは不可能ですし、またその外に出るのが望ましいかどうかも分かりません。いったい、「自文化中心主義」をどう取り扱えばいいでしょうか？

「自文化中心主義」は否定すべきことか

「自分化中心主義（ethnocentrism）」というのは、「自分が属している集団・文化を基準にして、他の集団や文化を理解・判断すること」を意味し、たいていは他の文化を否定的に判断したり、低く評価したりします。そのため、一般には、偏狭できわめて独善的な態度として、現在では非難されることが少なくありません。

ところが、現代アメリカの哲学者リチャード・ローティは、自分の立場をあえて「自文化中心主義」と規定し、その理由を次のように説明しています。

＊＊

自文化中心主義的でなければならないという発言を、いかがわしいと見る向きもあろう。だが、それは、他の共同体の代表者への語りかけを頑迷に拒否する立場こそが、自文化中心主義だと思っているからである。私の言う自文化中心主義は、自分たち自身の光に照らして事をなす、という立場でしかない。事をなすのに使える光がほかにないから、自文化中心主義なのである。他の個人や文化が提示する様々な信念を吟味するには、それらを、われわれがすでに持っている信念と、織り合わせてみなければならない。

（ローティ『連帯と自由の哲学』）

＊＊＊

そこで、「自文化中心主義」を考えると、おそらく三つの方向性が確認できるでしょう。その一つ（「自文化中心主義①」）は、それぞれの文化が「自文化中心主義」をとる場合、他の文化は自分たちとはまったく違うものと見なし、**「文化相対主義」**へ展開するかもしれません。それぞれの文化は、自分の文化の内部だけで理解でき、他の文化とは共通性がないとされます。これに対して、もう一つの方向（「自文化中心主義②」）は、自分の文化だけが正しく、他の文化は劣ったものと見なす**「文化帝国主義」**です。自分の文化の尺度によって、その他の世界をも認識できる、と見なすのです。

ローティが提唱する「自文化中心主義③」は、こうした二つの方向から明確に距離をとっています。ローティの意図では、「文化相対主義」でもなければ、「文化帝国主義」で

図8-4 「自文化中心主義」の三つの方向性

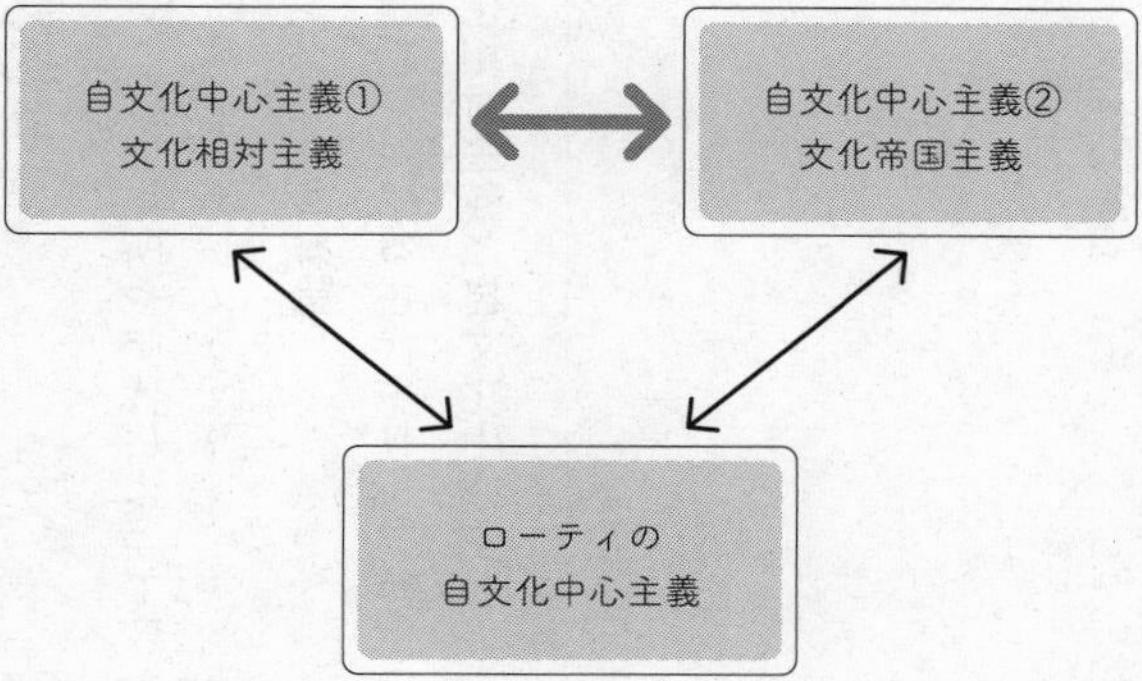

もありません。

ローティが提唱する自文化中心主義は、とても面白い提案ですが、きわめて不安定な立場でもあります。時として、文化相対主義と見られたり、文化帝国主義と見なされたりすることもあります。

実際のところ、ローティ自身が若いころは文化相対主義者と見なされ、晩年に近くなると文化帝国主義の立場に近づいたように見えます。その点では、「自文化中心主義」という考えは、つねに自己反省が必要な立場といえます。

本章のポイント

- 「こころ」は場所や時代によって変わるか？
- サピア＝ウォーフの仮説
- サングラス共有論
- 奴隷制に対する古代ギリシア時代の考え
- 文化相対主義と自文化中心主義

第 3 部

「こころ」はなぜ厄介なのか

世の中には、厄介な人、扱うのに困る人物がいます。しかも、その数は少なくありません。学校でも、職場でも、地域でも、あるいは家庭でも、たびたび出くわします。偶然出会っただけなのに、その後、どうつきあっていけばいいのか、戸惑ってしまうのです。言葉で話せば分かりそうなものですが、いっこうに理解してもらえず、不可解な行動に悩まされます。

こうした人の厄介さの根本には、「こころ」の厄介さが潜んでいます。

ただ、「こころ」の厄介さといっても、その人だけに限られるわけではありません。ある意味では、誰もが陥ってしまうものです。物分かりのよさそうな人が、場合によって、厄介な人物に豹変することもあります。

「こころ」は、どうして厄介な代物になってしまうのでしょうか。

この第3部では、具体的な人間関係のなかで、「こころ」の厄介さの秘密を探ってみることにします。

「こころ」が厄介である理由として、「こころ」がギリシア語でいう「ロゴス（言葉や理性)」では動かされないことがあります。

これまで「こころ」を考えるとき、たいてい知・情・意に分けられていました。そのなかで、とくに「知」つまり「知性」に大きな役割が与えられてきました。もともと人間は、他の動物に比べて理性や知性をもつ点で、「ホモ・サピエンス(知恵をもつ人)」と呼ばれてきました。

ところが、この「ロゴス」で人が動かないのです。

言葉を尽くし、たがいに理解し合って、協力して事に当たる――これは理想かもしれませんが、現実にはその逆のことが起こっています。その理由を考えながら、「こころ」の新たな理解を進めていきたいと思います。

第9章　「こころ」は感情を中心に回っている

「こころ」のあり方を区分する言葉として、昔から「知」「情」「意」という言葉があります。印象的なものは、夏目漱石が『草枕』の冒頭で書いた次の文章でしょう。

＊＊＊

山路を登りながら、こう考えた。
智に働けば角が立つ。
情に棹させば流される。
意地を通せば窮屈だ。
とかくに人の世は住みにくい。

（夏目漱石『草枕』）

＊＊＊

「こころ」を、このように三区分するのは、18世紀ドイツの哲学者ヨハン・ニコラウス・テーテンスからとされています。彼は、人間の心的能力を、知性・意志・感情に区分し、従来から伝えられてきた「真・善・美」に対応させました。カントはこの区分法を踏襲した上で、有名な三批判書を書きました。『純粋理性批判』は「知性」を、『実践理性批判』は「意志」を、『判断力批判』は「感情」を分析します。

古くさかのぼれば、「こころ」を三区分することは、プラトンにまで行きつきます。プラトンは『国家』のなかで、いわゆる「魂の三分説」を唱えますが、その内実はカントの場合とやや異なっています。彼の場合は、「魂」は「理知」「気概」「欲望」に区分されるのですが、これが古代の都市国家であるポリスの階級区分と対応するのです。すなわち「政務」「軍事」「商業」という三部分に相当しています。

①理知（λόγος, ロゴス）――「政務」階級
②気概（θυμός, テューモス）――「軍事」階級
③欲望（ἐπιθυμία, エピテューミア）――「商業」階級

ここには、「情」に当たる「パトス」が出てきません。その点で、プラトンの三分説をどう理解するかは、あらためて問う必要があります。しかし、この章では、近代のカント

以降に確立された、「知・情・意」の三区分に従って考えたいと思います。

「知・情・意」はバラバラの存在？

「こころ」のはたらきとして、知・情・意を考えたとき、この三つの関係はどうなっているのでしょうか。

まず基本的に理解できるのは、それぞれのはたらきが別々だという点です。知性は、「ものごとがどうであるか」を理解します。感情は、ものごとに対する感じ方です。意志は、何をするかを決めます。たとえば、漱石は知・情・意の区別について、物との関係から次のような人のタイプを説明しています。要約して示しておきます。

知を働かす人は、物の関係を明《あきら》めようとし、情を働かす人は、物の関係を味わおうとする人で、意を働かす人は、物の関係を改造しようとする人だ。（夏目漱石「文芸の哲学的基礎」）

しかし、知・情・意がそれぞれ別々といっても、知性だけの人、感情だけの人、意志だけの人が存在するわけではありません。一人の「こころ」のなかで、知性や感情や意志のはたらきがそれぞれ区別されるわけです。

プラトンの場合は、「こころ」の三つの部分が身体の異なる部分に宿ると見なされています。理知は頭に閉じ込められていますが、気概は横隔膜の上の方、欲望は横隔膜の下の方にある、とされます。現代ではむしろ、「こころ」のはたらきの違いには、脳の異なる場所が指定されています。

知・情・意の違いは、一見したところ、間違うことがなさそうに思えます。ところが、日常的にふり返っても、しばしば混同されることがあるのです。そのため、それを戒める議論があります。たとえば、イギリスの哲学者ディヴィッド・ヒュームが提出したもので、「事実（である）」と「当為（であるべき）」は区別せよ、というものです。「ヒュームのギロチン」とも呼ばれます。

たとえば、ある男性（部下）に向かって、君は男なのだから「男らしくすべきだ」と言ったとしましょう。これに対して、「ヒュームのギロチン」によれば、「君は男である（事実）」からは「君は男らしくすべきだ（当為）」は出てこない、と批判されるのです。現在、この批判は、社会的な常識になっています。

このように、事実（知性）から当為（意志）が出てこないことは、今ではよく知られています。文章を書くときも、「事実と意見を分けよ」というのは鉄則になっています。自分の希望的な予測を、あたかも事実であるかのように書けば、その文章は信用されません。

しかし、問題はこれで終わりではありません。

じつは、これから先が重要なのです。知・情・意を明確に分け、それぞれの場面を混同しないことは言うまでもありませんが、それらを完全に切り離せば済むわけではありません。

ある事実を理解するために、感情や意志などはまったくかかわらないのでしょうか。たとえば、AさんとBさんがある店で、ラーメンを注文して食べたとします。このとき、Aさんは「このラーメンはおいしい」と言い、Bさんは「このラーメンはまずい」と言ったとしましょう。

この二人の発言は、単に事実について述べたものでしょうか。それとも、この違いは意見、すなわちその人の感情や意志にもとづくのでしょうか。Aさんは「ラーメンの味はこうであるべきだ」と思い、それに合致している点で、「おいしい」(事実)であるかのように表現したのでしょうか。

そう考えると、感情や意志を抜きにした事実だけの世界というのは、どのようなものか、あらためて検討する必要がありそうです。

優位を占めるのはどれか

知・情・意を区別するのが大前提だとして、その上で「こころ」のはたらきの三つの関係がどうなっているのか、問い直してみましょう。

これに対する理論として、哲学ではこれまで三つの立場が提唱されてきました。主知主義、主意主義、主情主義という立場です。ここでは、それぞれがなぜ提唱されたのか、考えていきます。

最初に取り上げるのは**主知主義**ですが、**歴史的にはこの立場が主流**と言えます。たとえば、プラトンの場合、「哲人王」をめざしたように、知性が支配的な位置を占めていました。同じく、プラトンを批判したアリストテレスでさえも、「観照の生」がもっとも評価され、理性的な知識が重視されています。主知主義は、その後の哲学の歴史のなかで、基本的な流れを形成してきた、といっても過言ではありません。

それに対して、19世紀ドイツの思想家アウトゥール・ショーペンハウアーやフリードリヒ・ニーチェなどは、意志の役割を強調しました。ショーペンハウアーは知性の根底にはたらく「非合理的な意志」に着目して、主意主義を提唱しました。また日本の哲学者西田幾多郎も、『善の研究』（１９１１年）のなかで主意主義を標榜して、次のように述べています。

＊＊

元来我々の意識現象を知情意と分つのは学問上の便宜に由るので、実地においては三種の現象あるのではなく、意識現象は凡てこの方面を具備しているのである（たとえば学問的研究の如く純知的作用といっても、決して情意を離れて存在することはできぬ）。しかしこの三方面の中、意志がその最も根本的なる形式である。主意説の心理学者のいうように、我々の意識は始終能動的であって、衝動を以って始まり意志を以って終るのである。

（西田幾多郎『善の研究』）

＊＊

ものごとを判断するとき、一般に強調されるのは、何かを知る場合、自分の意志（「〜したい」）や感情（好き・嫌い）を交えずに理解することです。こうした意志や感情は、知性にとっての偏見やバイアスともなりますので、できる限り遠ざけるように求められます。

ところが、西田幾多郎は事実にかんする純知的な作用においても、意志や感情がはたらいている、と述べるのです。しかもそのなかで、もっとも中心となるのが「意志」であり、**「こころ」のはたらきは意志が主導している**、と強調しています。

それでは、「感情」を重視する立場はどうなのでしょうか。今まで、歴史的には主知主義（intellectualism）や主意主義（voluntarism）は積極的に提唱されてきましたが、「感情」を中心とした主張は、どちらかといえば否定的に取り扱われてきました。その理由を考えるために、20世紀に主張された「**主情主義** emotionalism（情緒主義）」を取り上げることにします。

ここで、情緒主義を早くから唱えていたイギリスの哲学者A・J・エイヤーの例を使って、考えてみましょう。1936年に出版した『言語・真理・論理』のなかで、エイヤーは次のように語っています。

＊＊＊

たとえば私が誰かに「君があの金を盗んだとは悪いことをしたものだ」という場合、私はただ「君はあの金を盗んだ」といった場合に陳述したであろう以上のことは何も陳述してはいないのである。この行いが悪いということをつけ加えることにより、私はその行いに関してそれ以上の陳述をしているわけではない。私はただ自分がそれを道徳的にみとめないことを明らかにしているにすぎない。（……）それはただ、それの表現に話手のある感情がつけ加えられていることを示すのに役立つのみである。（エイヤー『言語・真理・論理』）

＊＊＊

エイヤーによれば、道徳的な判断は、事実にかんする陳述（「君があのお金を盗んだ」）に対して、話者の感情をつけ加えたにすぎないとされます。これはある意味では、革命的な主張ですが、常識的な事例のためにその革命性が見えなくなっています。そこで、この主張の意義について、詳しく見ていきましょう。

「情緒主義」が主張するもの

エイヤーが提示した「君があの金を盗んだとは悪いことをしたものだ」という文には、**事実判断（君があの金を盗んだ）と道徳判断（悪かった）**が含まれています。文としては、「入れ子構造」になっているのですが、**この二つはまったくレベルが違う**のです。

一方の事実判断にかんしては、基本的に真か偽かを判定できます。実際に盗んでいれば真ですし、盗んでいなければ偽となります。問題となるのは、その後の道徳判断です。というのも、たとえ「君があの金を盗んだ」という事実が真であるとしても、それが悪いのか、悪くないのかは決まらないからです。

というのは、**よいか悪いかは、事実とは異なる次元の問題だからです**。では、「よいか悪いか」を人はどうやって判別しているのでしょうか。これに対するエイヤーの答えが、「感情」「情緒」というものでした。そこから彼は、議論を次のように広げていきます。

＊＊＊

さて今私が私の陳述の一般化をして「金を盗むことは悪い［Stealing money is wrong］」というならば、私は事実的な意味を持たない、いいかえれば真か偽でありうるような命題を表現してはいない文章をつくり出しているのである。それはあたかも私が「金を盗むこと!!」と書き、その感嘆符のかたちと太さとが適当な規約により、特殊の道徳的な非承認の感情が表現されていることを示している場合と同様である。この場合真か偽かでありうることは何一つとしていわれていないことは明らかである。別の人は盗むことが悪いことであるということについて私に賛成しないかもしれない。（同書）

＊＊＊

ここでエイヤーが述べているのは、「よいか悪いか」という道徳的な判断は、事実（金を盗んだ）ということに対する感情の表現であって、「ブー」と言ったり「ブレー」と言ったりすることと同じなのです。そして、感情の表現であるかぎり、それが正しいのか間違っているのか、つまり「真か偽」を決定できないわけです。

感情についていえば、同じ事実に直面しても、さまざまな（多様な）反応が可能でしょう。ある人は、厳しく咎《とが》め不快な感情を表現するかもしれません。あるいは、別の人はその事実に対して、好感をもち是認するかもしれません。このとき、どちらの感情が正しいのかを決定できるのでしょうか。

たとえば、ある女性が独身主義者だとしましょう。このとき、誰かが「君が独身主義者であることは悪いことだ」と言ったとします。このとき、この人の発言は正しいのでしょうか、それとも間違っているのでしょうか。昔（といってもそれほど前ではないのですが）であれば、こうした発言は正しいとされてきました。「女性は結婚し、子どもを産むのがよい」と判断されていたからです。

ところが、情緒主義によれば、「独身主義者（事実）」にかんして、「よいか悪いか」の道徳的判断は下せないのです。なぜなら、それはあくまでも話者の感情の表現にすぎないからです。感情についていては、人それぞれ違っていますから、どれが正しいかは決定できな

図9-1 「よいか悪いか」の判断は感情の表現とする「情緒主義」

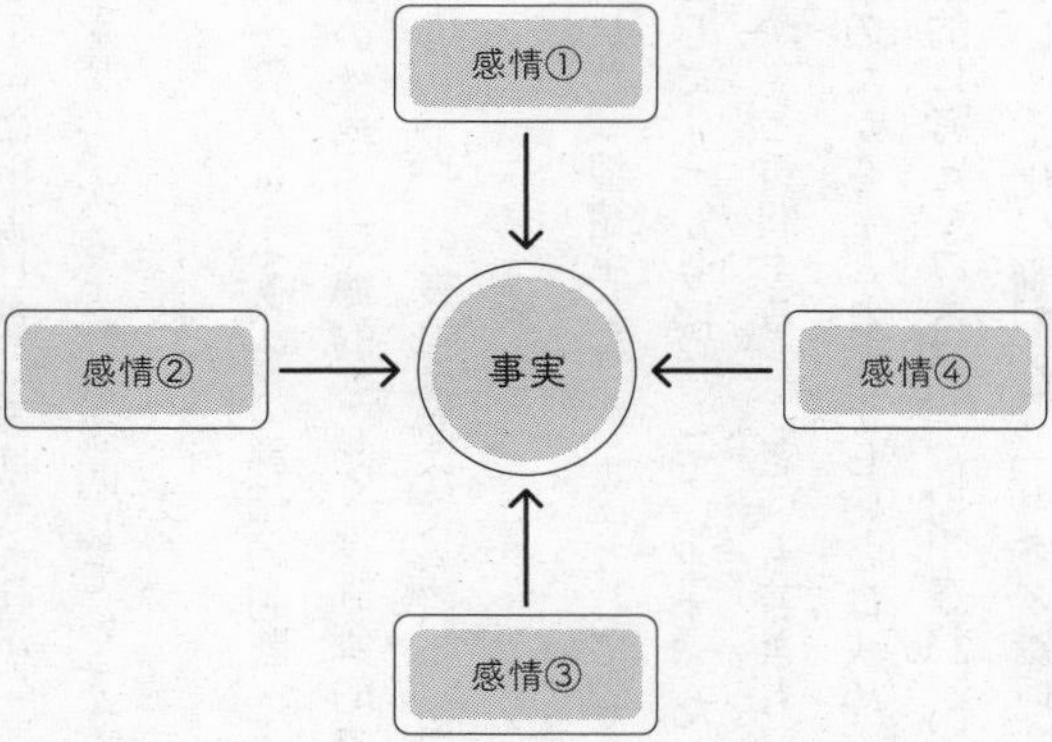

いわけです。図示すると、図9－1のようになります。

「主情主義」の革命性

伝統的に見ると、知・情・意のなかで、「感情」の果たす役割はあまり高く評価されてきませんでした。そのため、20世紀になって、「情緒主義」が提唱されたとき、「道徳問題」を事実から導出できない理論として理解されました。それは、道徳問題において感情に光をあてたとしても、積極的な形で感情に重要性はもたせたわけではありません。

しかし、じつを言えば、「情緒主義」はもっと広い可能性を秘めていました。たとえば、スコットランド出身の現代アメリカの哲学者アラスデア・マッキンタイアは1981年に出版した『美徳なき時代』のなかで、現代の道徳的対立状況を描きながら、「情緒主義」を次のように説明しています。

＊＊＊

情緒主義とは〈すべての評価的判断・より特定していえばすべての道徳判断は、それらの判断の性格が道徳的もしくは評価的である限り、好みの表現、すなわち態度や感情(フィーリング)の表現に他ならない〉とする学説である。(マッキンタイア『美徳なき時代』)

＊＊＊

こうした「情緒主義」が学説として唱えられたのは20世紀前半ですが、最近では人々の常識としてすっかり浸透しています。たとえば、「ものの見方や感じ方は、人によって異なるのか」と質問すると、老いも若きも「情緒主義」を表明します。人の「好み」はみんな違うのだから、どれが正しいとは決められない、というわけです。

根本的に考えてみると、「情緒主義」のポイントになるのは、「よい／悪い」や「正／不正」といった価値判断を、「好き／嫌い」という趣味判断に一元的に還元することです。たとえば、「中学生の男子は坊主頭の方が学生らしくて『よい』」と中年男性が口にするとき、この価値判断は、「オレは中学生の坊主頭が好き」という趣味を表明しているにすぎません。逆に、「茶髪のロン毛は悪い」という場合は、単に「嫌い」という感情を表現しているにすぎないのです。

この考えは、旧来の権威的な道徳や規範を引きずりおろすのに、とても有効です。

たとえば、学校の教師が生徒に、「清潔な身だしなみと礼儀をもった態度が、学生にはよいことだ」と教えたとき、生徒はすかさず、「それって先生の趣味ですか？」と聞き返すことになります。つまり、「よい／悪い」というような**道徳的・評価的な判断は、話者の感情を単に偽装しているにすぎない**わけです。

このように、何かを評価するにあたって、判断を左右するのは、現在では感情であることが、実際にも多くなっています。つまり、**「好きか嫌いか」が、「よいか悪いか」を決めてしまう**のです。その点で、今日、人々の考えを拘束するまでに支配的になっている状況を考慮するならば、「情緒主義」は「感情中心主義」と呼ぶべきかもしれません。人を判断するとき、「むかつく」とか「きもい」といった表現がしばしば使われるのも、こうした「感情中心主義」の発露かもしれません。

しかし、すべてが感情の問題（趣味判断）になったとき、**優劣をつけることが不可能に**

図9－2　「好きか嫌いか」が「よいか悪いか」を決める

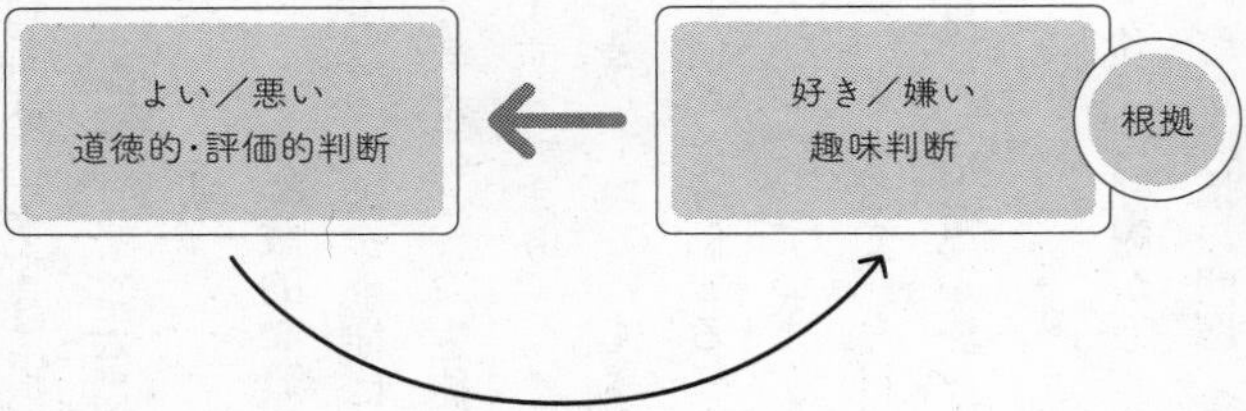

なります。たとえば、ある人が「カレーライスが好き」といい、別の人が「ラーメンが好き」といった場合、当然のことですが両者に優劣をつけることができません。そのため、カレーの好きな人に、「君はカレーではなく、ラーメンを食べる『べき』だ」と押しつけることもできません。感情に理由をつけることは不可能ですし、コトバで説得することもできないからです。

「事実」（知性）から「解釈」（感情）へ

このように、20世紀の「情緒主義」を「感情中心主義」への転換と理解すれば、19世紀末にドイツの哲学者ニーチェが「遠近法主義」として語ったものと、きわめて似通ってきます。遺稿である『権力への意志』において、ニーチェは次のように述べています。

現象に立ちどまって「あるのはただ事実のみ」と主張する実証主義に反対して、私は言うであろう、否、まさしく事実なるものはなく、あるのはただ解釈のみと。（……）総じて「認識」という言葉が意味をもつかぎり、世界は認識されうるものである。しかし、世界は別様にも解釈されうるのであり、それはおのれの背後にいかなる意味をもってはおらず、かえって無数の意味をもっている。――「遠近法主義。」（ニーチェ『権力への意志』）

＊＊＊

＊＊＊

「遠近法」というのは、ルネサンス時代に確立された絵画の技法で、どの地点から見たかという視点の違いによって、完成した絵が違ってきます。これと同じように、人の趣味も、それぞれ違っていますから、その違いによって評価や解釈も違ってくるのです。

ニーチェが「解釈」の多様性を語るとき、「遠近法」という芸術の技法から発想しているのは重要なことです。というのも、芸術の領域で力をふるっているのが、まさに「趣味判断」だからです。たとえば、現代アメリカの美学者ノエル・キャロルは、２００９年に

図9-3 「主知主義」から「感情中心主義」へ

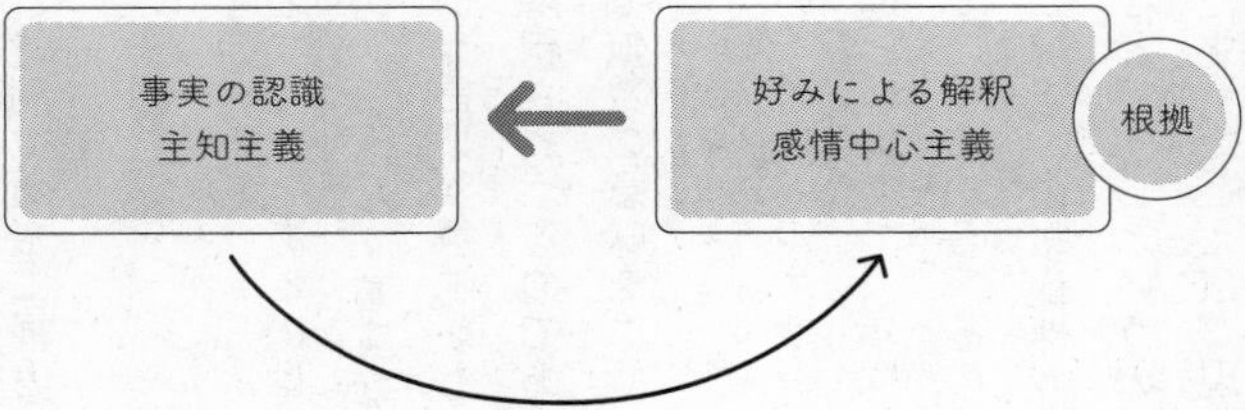

出版した『批評について』のなかで、次のように語っています。

＊＊＊

芸術の評価にはいかなる一般的基準も存在しないのだから、芸術の評価は客観的ではありえない。よって、芸術の評価は主観的にならざるをえない。（……）それは個人的な好みや趣味判断の表現以上のものではない。つまり、芸術の評価とは、純粋に主観的なことがらなのだ。

（キャロル『批評について』）

＊＊＊

かつては、現実を理解するとき、知性によって事実を客観的に認識することが重視されていました。しかし、こうした「主知主義」的な態度は、今日では胡散臭いものとされ、むしろ遠近法主義のもとで、「感情中心主義」へと転換したように思えます。

今日、意義を認められつつある「感情中心主義」は、知性による事実の認識や、意志による価値の評価の根源に、好みによる解釈、趣味判断を置くことです。芸術作品が、各人の趣味にもとづいて解釈されるように、事実の認識も、道徳的な価値も、すべて趣味にもとづいて感情的に解釈されるのです。もちろん、事実や道徳といったものが尊重される公共的な場面で、個人的な趣味をあからさまに表明するのは、通常は差し控えられます。しかし、「こころ」の奥底では、趣味や感情が、知性や意志を支配して、方向を定めているのです。

人を説得するには、まず感情から

人々の考えや行動に、感情が大きな影響を与えていることは、じつは古代ギリシアのアリストテレスによって、すでに明言されていました。

人をいかに説得するかを論じた『弁論術』のなかで、アリストテレスは次のように語っています。

＊＊＊

愛している時と憎んでいる時とでは、また、腹を立てている時と穏やかな時とでは、同じ一つのものが同じには見えず、全く別物に見えるか、或いは大きく異なったものに見えるかするものである（……）。

（アリストテレス『弁論術』）

＊＊＊

たとえば、相手を愛している人は、その相手が不正をはたらいているとは思わないし、不正をはたらいていても軽いもののように思われます。まさに、「恋は盲目」というわけです。それに対して、相手を憎んでいる人には、それと正反対に映るものであり、何を見ても許せないと思うのです。こうして、アリストテレスは、言葉を使って説得する「弁論術」の方法として、次のような三種類を区別しています。

＊＊＊

言論を通してわれわれの手で得られる説得には三つの種類がある。すなわち、一つは論者の人柄にかかっている説得であり、いま一つは聴き手の心が或る状態に置かれることによるもの、そうしてもう一つは、言論そのものにかかっているもので、言論が証明を与えている、もしくは与えているように見えることから生ずる説得である。

（同書）

図9-4　アリストテレスが説いた弁論術

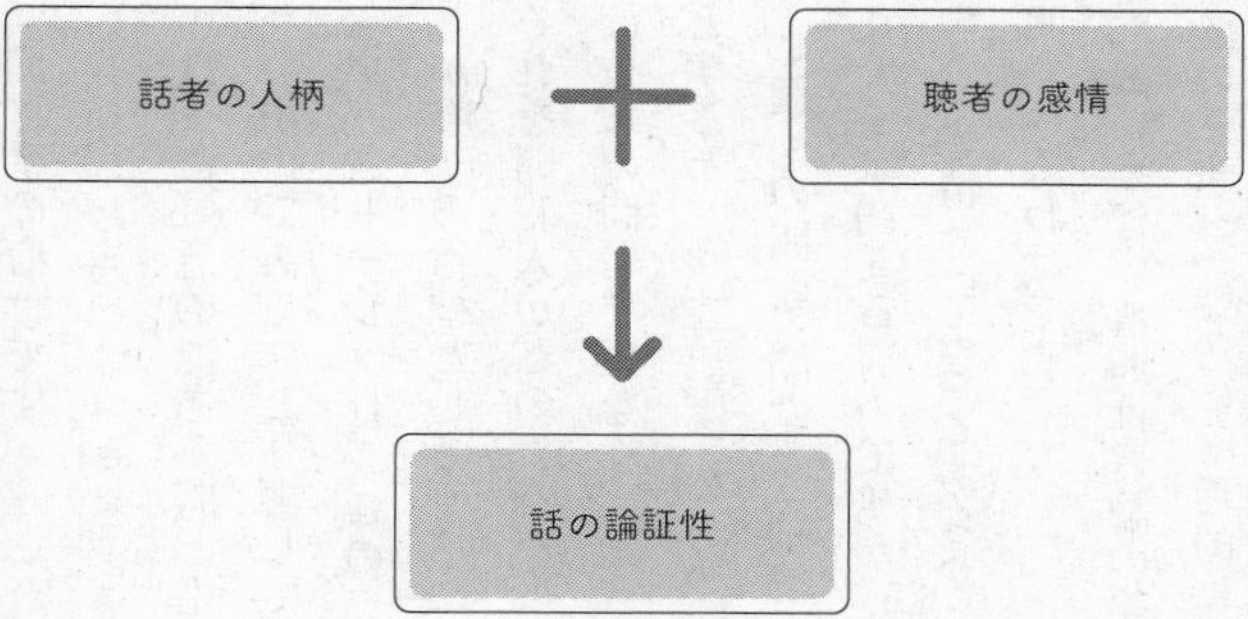

＊＊＊

最初の①「人柄によって」というのは、論者を信頼に値する人物と判断させるように言論が語られる場合です。現在でも、講演をする場合、その人には立派な肩書や学歴や経歴といったバックグラウンドが、必ず付着しています。これによって、その人の話す前から、話す内容に対する信頼が生み出されるのです。

逆に、論者の「人柄」が信頼されていないときは、その人の話がどんなに正しくても、おそらく誰も聞く耳をもたないでしょう。その点では、講演のような話をする場合、その成否は話す前から決まっている、とも言えます。

次に②**「聞き手の心」**ですが、これをアリストテレスは「聴き手の心が或る感情を抱くようになる場合」と述べています。その理由として、「苦しんでいる時と悦んでいる時とでは、或いはまた好意的である時と憎しみを抱いている時とでは、同じ状態で判定を下すとは言えないからである」と強調しています。

そして、アリストテレスは、この「感情」にかかわる部分こそが、「今日の弁論技術書の著者たちが唯一の目標として研鑽に努めている点なのである」と語っています。話をする場合、それを聞く人がどのような「こころ」の状態であるか、つまりどんな感情をもっているかは枝葉の問題ではなく、まさに根幹にかかわるものなのです。

そうだとすると、③**「言論そのもの」**の役割が必ずしも決定的でないことが分かります。もちろん、「個々の問題に関する納得のゆく論に立って、そこから真なること、或いは真と見えることを証明する」のですが、この「知性」にかかわる論証の意義が相対化されているのです。**「感情」によってあらかじめ説得されているからこそ、「知性」によって真であると証明できるわけです。**

「弁論術」といえば、普通は言論の論証的な方法として、「知性」が大きな役割をもつと見なされています。「いかに論理的に正しい推論をするか」に心血が注がれるわけです。

ところが、アリストテレスの古典的な『弁論術』は、むしろ話者の「人柄」や聴者の「感情」の重要性を指摘しています。

感情の復権

アリストテレスが『弁論術』で示したことは、単に「弁論術」という話し方の技法にかかわるだけでなく、もっと根源的な「こころ」のあり方自体にかかわってくるように思えます。一般に「こころ」を考えるとき、知・情・意に分け、そのはたらきの違いが明らかにされてきました。

それと同時に、知・情・意の序列関係も暗黙の裡に想定されてきました。そのなかで、主流となってきたのは、「知性」をもっとも高く評価し、「意志」と「感情」がそれに従属するという「知性中心主義」でした。それに対して、アリストテレスが示したのは、「感情」の重要性でした。

「感情」はギリシア語では「パトス（πάθος）」とされ、知性的な「ロゴス（λόγος）」や道徳的な「エートス（ἦθος）」と対比されています。「パトス」の基本的な意味は、「受動的な状態」ですから、一見したところ他に影響を及ぼしそうな役割をもっていないように思えます。

しかし、「パトス」から派生する「パッション（passion）」は「激情、情熱」を意味し、その強さを予想させます。たとえば、アリストテレスは、『弁論術』のなかで次のように述べています。

＊＊＊

感情とは、（……）人々の気持が変り、判断の上に差異をもたらすようになるもので、それには苦痛や快楽がつきまとっている。例えば、怒り、憐れみ、恐れ、その他この種のもの、および、これらとは反対のものがそうである。（同書）

＊＊＊

ここで注目したいのは、「感情が判断の上に差異をもたらす」という点です。すなわち、感情が知性的な判断に対しても、決定的な作用を及ぼし、その方向を変えてしまうのです。感情に対して、知性や意志の関係を全体的にどう理解するかはあらためて考える必要がありますが、一つだけ確認できるのは、「こころ」のなかで「感情」が根源的であり、先行的であることです。この「感情」の重要性について、日本のある神経心理学者は次のように述べています。

意識が働くと、こころの動きが自覚（経験）される。この経験のもっとも基底にあるのが感情である。ほとんどの感情はあいまいなこころの動きとしてしか経験されない。感情を背景に輪郭を持つ経験（心像）が立ち上がる。意はこれらの心像をまとめてこころをひとつの方向に向かわせる。これを脳の働きに対応させると、発生的に古い脳である大脳辺縁系が感情を生成し、後頭葉・頭頂葉・側頭葉が心像を生成し、その前方に位置する前頭葉の働きが意を生成する。

（山鳥重『知・情・意の神経心理学』）

＊＊＊

このように現代の脳神経科学的な観点からも、「感情」の基底性が強調されています。「感情」といえば、今まで非理性的・不合理的な暗部として、人間にとって肯定的には評価されてきませんでした。むしろ否定的に理解されてきた、といった方が適切です。しかし、古代のアリストテレス以来、「感情」の決定的な役割が知られていたのです。

今日、**神経科学のような新たな視点からも、「感情」の重要性に注目が集まりつつあります。**人間の「こころ」を理解するには、何よりも「感情」に光をあてる必要があります。

本章のポイント

- 「こころ」を知、情、意から考える
- 20世紀の情緒主義
- 感情中心主義の革命性
- アリストテレスの弁論術
- 説得するにはまずは感情から

第10章 「こころ」はタブラ・ラサ(白紙状態)か

「こころ」の能力の違いを説明するため、昔から「生まれ(Nature ネイチャー)か育ち(Nurture ナーチャー)か」という論争が、姿を変えつつ繰り返されてきました。現在では、**「生まれ」の方は遺伝子決定論に行きつき、「育ち」の方は環境決定論へ向かいます。**

たとえば、一方で天才的な能力をもつ人物、他方で犯罪を行なった暴力的な人物を考えてみましょう。この二人の違いは、どうして生じるのでしょうか。「生得説」によれば、それぞれの違いは、生まれ持ったDNAの違い、それにともなう脳の構造の違いが理由になります。それに対して、「環境説」によれば、それぞれが育った環境、たとえば家庭や地域、学校や友人、社会的な背景などが挙げられるかもしれません。

こう考えると身近な問題となりますが、じつを言えば「こころ」をどう考えるかについての、古くからの論争が下敷きになっています。古代ギリシアではプラトンとアリストテレスの論争、近代ではロックとライプニッツの論争が、まさにこの問題にかかわっています。

しかも、注目すべきことには、これが**現代の人工知能の設計思想にまでつながる**ことです。21世紀になって、「ディープ・ラーニング」という手法が革命的な技術として喧伝されていますが、これは**アリストテレス以来の経験主義の系譜につながります**。そのため、この手法の問題点を考えるには、プラトン以来の理性主義が役立つかもしれません。

そこで、この章では「こころ」をどう理解するかについて、伝統的な二つの流れを確認しつつ、そこから将来に対して、どんな課題が出てくるのか見ていくことにします。

ちなみに、この章のタイトルの一部である「タブラ・ラサ（tabula rasa）」とは、ラテン語で「何も刻まれていない石板」の意味です。これは、「こころ」を形容するために、17世紀のイギリスの哲学者ジョン・ロックが『人間知性論』（1689年）のなかで使ったとされていますが、実際にはその表現はありません。ロック自身は、「白紙（white paper）」を使っていますが、「こころ」にかんする経験主義の理解としてよく使われる言葉です。**「こころ」は何も書かれていない「白紙」であり、経験によってその白紙に書き**

込まれていく、というものです。

帰納的抽象理論のどこがおかしいのか

最初に、何が問題なのかを確認するために、あらかじめ帰納的抽象理論と呼ばれる考えから出発しましょう。これは、「『犬』とは何か」を知らない人が、どうやって「犬」を知るようになるか、を説明する理論とされます。

簡単に言うと、帰納的抽象理論とは、個々のものをたくさん集めて、そこから共通の一般的な概念に導くことです。「『犬』とは何か」を知らない人間は、個々の「犬」の経験を通して、一般的な「犬」の特徴（概念）を抽出するわけです。

これには、二つの段階が含まれます。第一に、ポチやタロー、ハチやベンジーといった、個々の「犬」を数多く集めてくることです。そして第二に、集められたものから、本質的でないものを捨象して、共通の特徴を取り出すことです。こうして、抽象（抽出）されたものが、まさしく「犬」の本質とされるのです。

この説明を読んで、はたして納得できるでしょうか。読者のなかには、「あれ、なんか変だぞ」と思われた方もいるかもしれません。さらには、この理論の問題点に気づいた人もいらっしゃるでしょう。

まず、そもそも「『犬』とは何か」を知らない人が、どうやって個々の「犬」を集めることができるのでしょうか。これはよく、これはだめ。そんな区別をしなくてはなりませんが、そのためには、あらかじめ「犬」を知っていなくてはならないのです。まったく知らない人は、いったい何を集めていいのかさえ、分からないはずです。

ここでは、その点は不問にしましょう。いちおう個々の「犬」がすでに集められている、と仮定します。

それらに共通のものを取り出すとき、「『犬』とは何か」を知らない人が、どうやって「犬」の本質的な特徴を抽出できるでしょうか。色も、毛の長さも、大きさも、違います。それにもかかわらず、それらを「犬」として理解するとき、私たちはあらかじめ「『犬』とは何か」を知っていなくてはならないのです。

こう考えると、**帰納的抽象理論の問題点**が見えてきます。

まず個々のものを集める段階で、また集めた後で本質的特徴を抽出する段階でも、**「『犬』とは何か」をあらかじめ知っていなくてはならないのです。**「犬」をあらかじめ知らない人には、個々の「犬」を集めることができませんし、集められたとしても、そのなかから

図10-1 「帰納的抽象理論」では個々から本質を抽出する

①個々の「犬」を集める

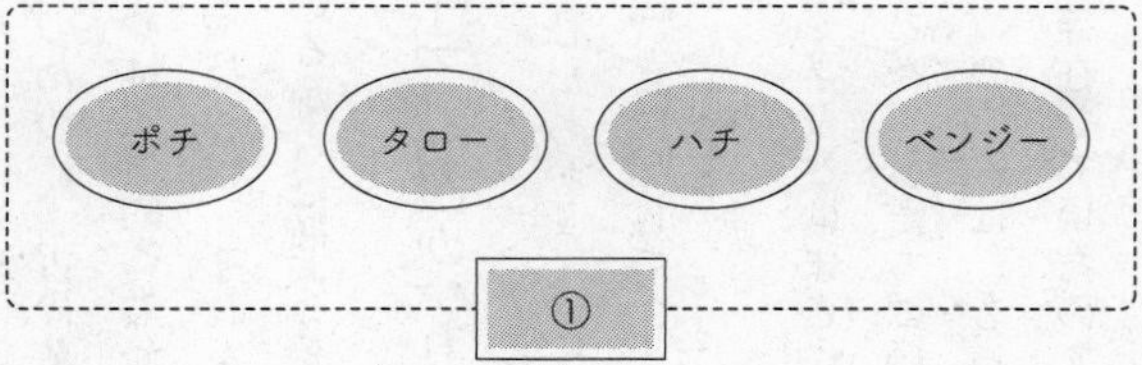

②「本質的な特徴」を抽出

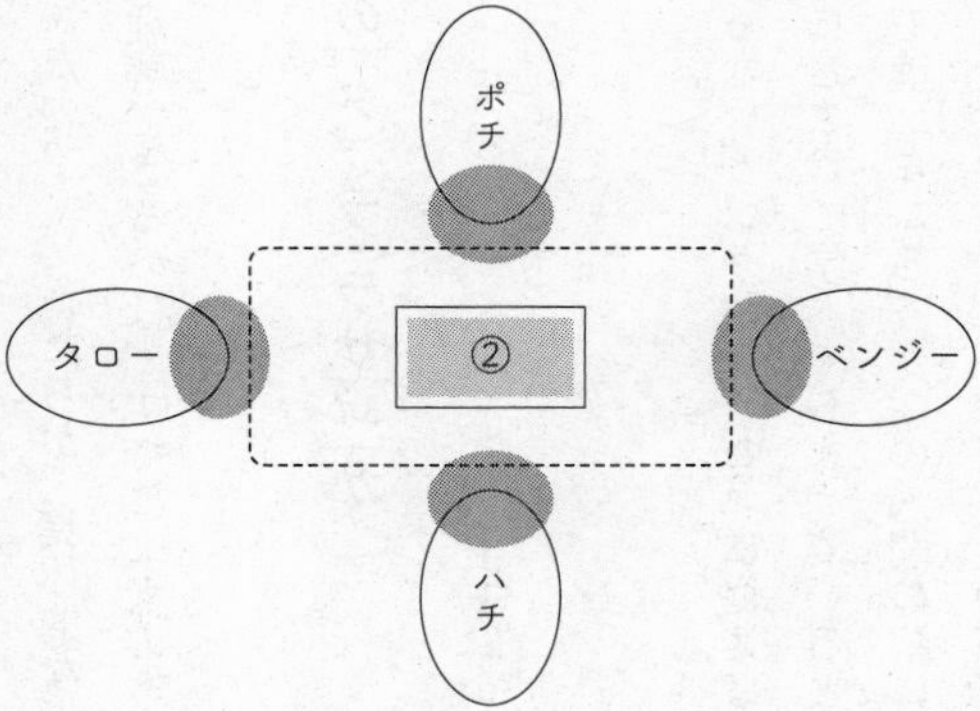

「犬」の本質的な特徴を抽出することもできないのです。

こうした事情のために、古代ギリシアのプラトンは、**人間が「イデア」（ここでは「犬」のイデア）をいわば生得的にもっている、と考えた**のです。私たちが、具体的な犬（ポチ、タロー）に出会ったとき、それを「犬」として理解できるのは、すでに「犬の本質（イデア）」を知っているからに他なりません。

プラトンの「イデア説」かアリストテレスの「タブラ・ラサ説」か

プラトンは、私たちが「イデア」をすでに知っている、ということを主張するために、有名な**「想起説」**を提唱しています。

＊＊＊

私たちにとって学びとはまさに想起にほかならないという説で、これに従えば、私たちが今想い出すことを、私たちはいつか過去の時にどこかで学んでしまっているというのが必然なのです。このことは、もし私たちにとって魂［こころ］がこの人間の姿に生まれる以前にどこかで存在していたのでなければ、不可能なのです。従って、この点でも魂はどうやら不死のものであるようです。

（プラトン『パイドン』）

プラトンによれば、私たちが個々の「犬」(ポチやタローのような)を見たりするとき、それが「何であるか」という知識、すなわち「イデア」(「犬のイデア」)を、どこかで獲得していなければならないのです。それをプラトンは、「その知識を獲得したのは生まれる以前」というのです。

＊＊＊

プラトンの説明は、やや神話的に思えますが、「イデア」の先行的な存在性を認めることは、それほど奇妙には感じません。プラトンは、**「イデア」と「魂(こころ)」が私たちの誕生以前から存在している**、と考えています。

それに対して、アリストテレスは個々の感覚的なものから独立した形で存在するような「イデア」について強く反発し、『形而上学』のなかで次のように語っています。

＊＊＊

イデアを説く人々に関しては、その説明の仕方と同時にそれについての難点をも研究すべきであろう。というのは、かれらはそれぞれのイデアを普遍的なものとしていると同時に、ふたたびまたそれを離れて存しかつ個別的に存在するものとしているからである。(……)もちろん普遍的なものなしには認識は得られないが、これを個別的事物から切り

図10-2　アリストテレスは「イデア」を「個別的事物から切り離す」考えを否定した

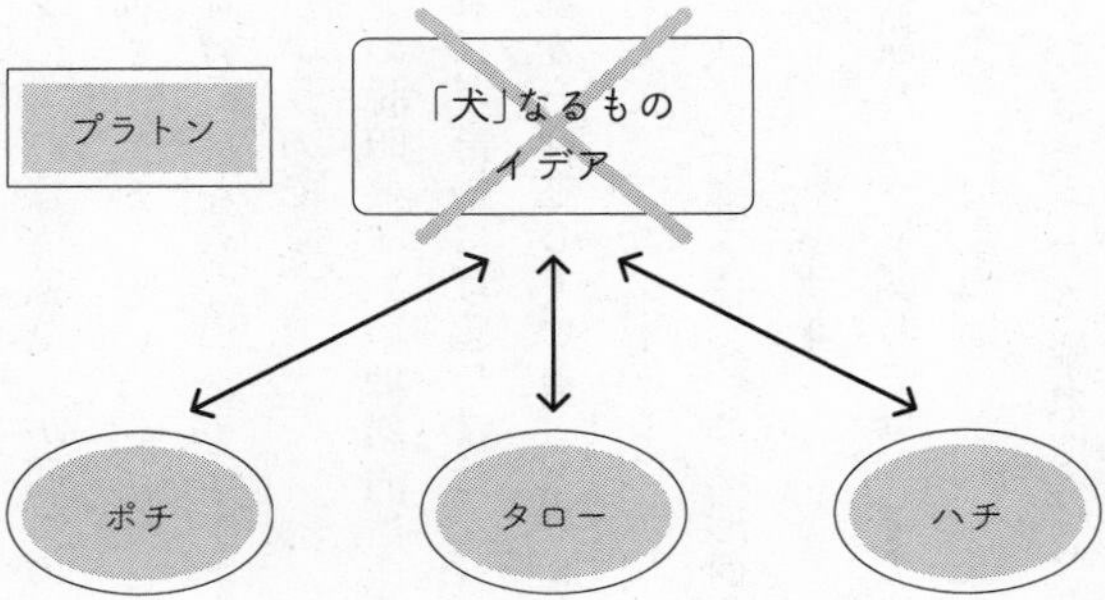

離すことは、その困難な諸結果がイデアに関して生じてくることの原因である。

（アリストテレス『形而上学』）

＊＊＊

「イデア」を批判するアリストテレスにしても、認識には「普遍的なもの」が必要なことは否定していません。**否定されるのは、そうした「普遍的なもの」を、「個別的事物から切り離す」ことにあります。**ポチやタローの他に、「犬なるもの」が独立に存在するわけではありません。

それでは、アリストテレスは「普遍的なもの」をどう考えるのでしょうか。アリストテレスは、プラトンの「イデア」のように個別的な事物から切り離すことなく、個々の事物そのもののうちに「普遍的なもの」が存在すると見なしています。それを示す概念が、「質料」と「形相」という対概念です。

たとえば、ポチやタロー、ハチは「質料」、つまり肉や骨などにおいては異なっていますが、それらが「形相（「犬」という本質）」と結合して、ポチやタローやハチという「犬」になるわけです。「（これらは）それぞれの質料の点では異なっている、というのは質料はそれぞれ異なっているからである、しかし、形相においては同じである、というのは形相は不可分だからである」とアリストテレスは語っています。

こうした考えにもとづいて提出されたのが、いわゆる「タブラ・ラサ」説です。アリストテレスは、「タブラ・ラサ」説の原型となる考えを、『魂について（心とは何か）』のなかで、次のように表明しています。難解な表現ですが、アリストテレスの有名なフレーズなので、引用しておきます。

＊＊＊

ところで、理性が、何か共通のもの［普遍的なもの］によって作用を受けることについては、以前に規定した。つまり、理性は、可能態においては、ある意味で思惟されるものであるが、思惟をはたらかす以前には、終局態においてはどんなものでもない。そして、

図10-3 アリストテレスの「可能態」「終局態」

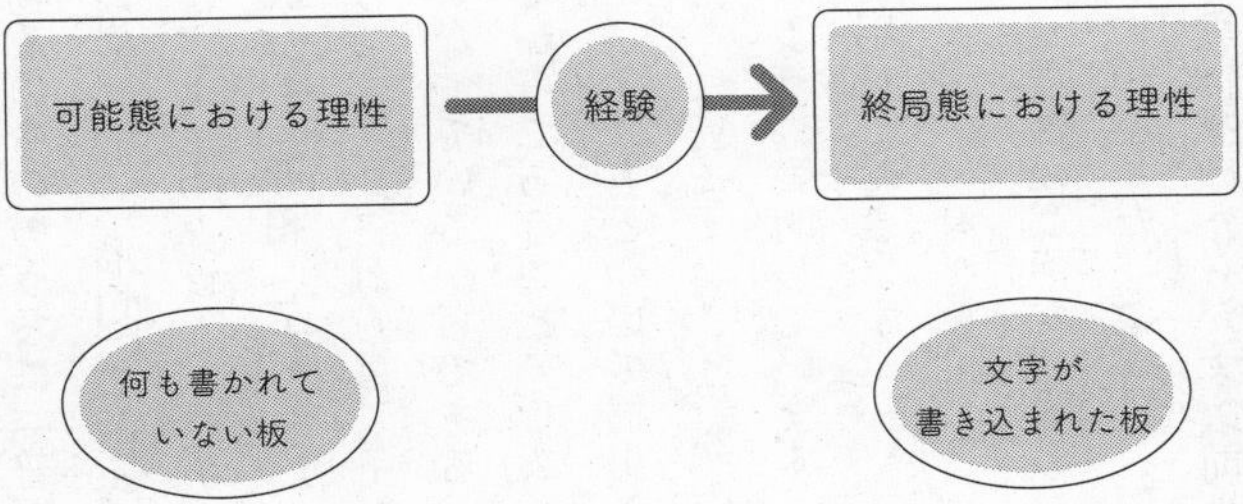

理性が可能態において何でもないのは、終局態にあっては何も書かれていない板に文字が可能態においてあるのと同じである。

（アリストテレス『心とは何か』）

＊＊＊

「可能態」「終局態」というのは、アリストテレス特有の言葉ですが、思惟のはたらきが遂行される以前と以後、と考えられます。**思惟のはたらきが遂行される以前は、知性（理性）には何も書かれていません。**

つぎに、そのはたらきが遂行されると、文字が書きこまれていくわけです。**この文字が書きこまれていく過程が、「経験」**と呼ばれるわけです。

ロック(経験主義)かライプニッツ(理性主義)か

プラトンの「イデア説」かアリストテレスの「タブラ・ラサ説」かという対立は、その後の哲学の歴史のなかで、少し形を変えながら繰り返されることになります。

たとえば、近代ドイツの哲学者であるゴットフリート・ライプニッツは、『人間知性新論』を書いていますが、これはイギリスの哲学者であるジョン・ロックが出版した『人間知性論』に対する論争の書になっています。ロック自身は、ライプニッツの著作を見ることなく亡くなったのですが、この対立は近代哲学の一大事件と言えるほどです。

一般に、近代哲学についてはイギリス経験論と大陸合理論の対立が語られますが、その典型的なモデルは、ライプニッツのロック批判にあります。このとき、注目すべきことは、ライプニッツがこの論争をプラトンとアリストテレスにさかのぼって考えていることです。ライプニッツは、『人間知性新論』の序文において、次のように語っています。

＊＊＊

じつに『知性論』の著者(ロック)は、私の称賛する多くのみごとな事柄を述べているけれども、われわれ二人の学説は大きく異なる。彼の説はアリストテレスに近く、私の説はプラトンに近い。私たちはいずれも、この二人の古代人の説とは多くの点で隔たってはいるけれど。

（ライプニッツ『人間知性新論』）

＊＊＊

それでは、ロックとライプニッツの考えは、いったい何をめぐって対立しているのでしょうか。ライプニッツは、次のようにつづけています。

＊＊＊

われわれ二人の見解の相違は、かなり重要な諸テーマについてである。それは次の問題に関わる。魂（こころ）それ自体は、アリストテレスや『知性論』の著者のいうような、まだ何も書かれていない書字板（tabula rasa）のように、まったく空白なのか。そして魂（こころ）に記される一切のものは感覚と経験のみに由来するのか。それとも、魂（こころ）はもともと多くの概念や知識の諸原理を有し、外界の対象が機会に応じてのみ、それらを呼び起こすのか。私は後者の立場をとる。

（同書）

＊＊＊

ここで提示されているのは、哲学史ではよく知られている「経験論（経験主義）」と「合理論（理性主義）」の対立です。ライプニッツはこの対立を、次のような名文句で表現し

図10-4 「経験主義」か「理性主義」か

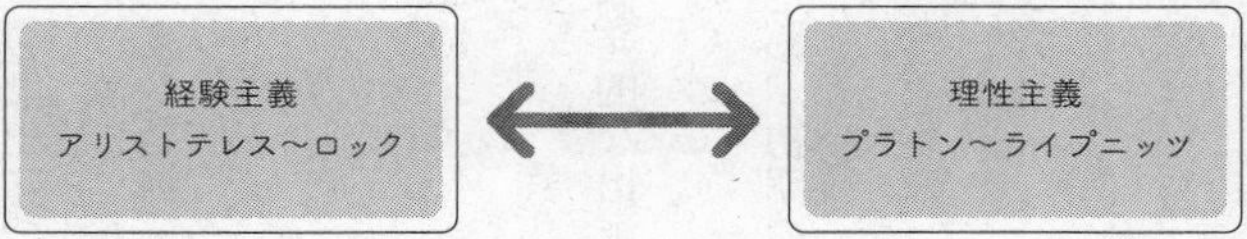

ています。

「経験のうちになかったものは知性のうちには何もない。ただし、知性それ自身を除いて」

ライプニッツによれば、アリストテレスやロックのような経験主義では、「こころ」は最初は「何も書かれていないタブラ・ラサ」であり、経験を通して文字（概念や知識）が書き込まれていきます。これに対して、プラトンやライプニッツのような理性主義者は、「こころ」はもともと「多くの概念や知識の諸原理」をもっていると考えるのです。

ＡＩ（人工知能）の設計にまで及ぶ
――規則主義かディープ・ラーニングか

経験主義か理性主義かという対立は、一見したところ哲学内部の対立のように思えますが、実際にはもっと広い具体的な領域にかかわっています。それを確認するため、ＡＩ（人工知能）の歴史について考えてみましょう。もともと、**ライプニッツ自身が人工知能設計の源流に位置づけられています。**

さて、人工知能が開発された当初（1950年代〜）は、コンピュータに規則や推論や知識をあらかじめ教え込み、そこから現実世界の具体的な問題解決をめざしていました。これは、哲学の立場から言えば、「理性主義」にもとづきます。人間が生まれつきもっている生得観念のように、人工知能にも、規則や推論があらかじめ埋め込まれているのです。

しかし、言うまでもありませんが、具体的な状況は一律ではなく、変化に富んでいます。例外や偶発的な出来事も起きるでしょう。**あらかじめ教え込まれた規則や推論では、うまくいかないのです。**

そのため、初期のころ、アメリカの哲学者ヒューバート・L・ドレイファスは、『コンピュータには何ができないか』（1972年）を書いて、「人工知能の限界」を指摘しています。当時、ドレイファスは、「チェス・プログラムは10歳の子どもにも勝てない」と述べたほどです。

ところが、今日では、こうした状況は過去のものになりました。ビッグデータをもとにした「ディープ・ラーニング」によって、人工知能の新たな段階が始まりました。規則や知識をあらかじめコンピュータに与えるのではなく、大量のデータのなかから、コンピュータ自身が学習していき、最適の解をみずから発見するわけです。こうして、人工知能は、**理性主義から経験主義へと舵を切った**のです。

たしかに、人工知能は現在、経験主義の立場から飛躍的な発展を遂げつつあります。しかし、哲学の歴史が示すように、経験主義だけで完結するわけではありません。ライプニッツが、ロックの経験主義に対して異論を提出したように、**経験主義だけですべてが説明できるわけではない**からです。

問題は、経験主義か理性主義かという二者択一ではなく、むしろ二つの立場を常に念頭に置きながら、具体的に考えていくことです。

このように見ると、**人工知能の現在の状況を理解するには、単に技術的な次元だけでなく、哲学的な視点も必要である**ことが分かります。「人工知能」をどう理解するかは、まさに哲学がたえず問い直してきた「人間知性」の問題だからです。したがって、人工知能（知性）と人間知性を、対立的に考えるのではなく、いわば並行的に理解するように努めなくてはなりません。

古代ギリシアのイデア論とその批判から始まって、近代の経験主義と理性主義の対立、そして現代の人工知能の進化を見てきました。これらは、知性や「こころ」をどう理解するかにかかわっています。そこで今度は、知能にかんする「生まれか育ちか」の問題に、立ち帰ることにしましょう。

知能の差は生まれか育ちか

手はじめに、「遺伝」について啓蒙的な本をたくさん書いている科学ジャーナリスト、マット・リドレーの議論を見ておきましょう。彼は、「育ち」の部分を否定するわけではありませんが、**「生まれ」のファクターを次のように強調しています。**

＊＊＊

食物、両親の世話、教育、本など［環境、育ち］がなければ、人が知能を身につけられるはずがない。しかし、こうしたメリットをすべて享受している人々の集団のなかでは、テストでよい点をとるか否かのばらつきは、遺伝子に原因をたどれる。その意味で、知能のばらつきは遺伝的なのである。たいていの学校には、住む場所や階級や経済環境がそろった似たような生い立ちの生徒が集まっており、生徒は一様な教育を受ける。こうして環境が及ぼす影響のばらつきを小さくした結果、学校は無意識に遺伝の役割を大きくしている。高得点の生徒と低得点の生徒との差異は、遺伝子に還元されることになる。ばらつく要因はそれしか残っていないからだ。(……)

だれもが同じ教育を受けられる世界では、最高の仕事は、生得的な才能が最も高い人のものになる。これがつまり、実力社会という言葉の意味するところなのである。

(リドレー『やわらかな遺伝子』)

＊＊＊

もっとも、「遺伝子」が人の能力の違いにかんして、どれほどの影響を与えているかは、厳密に確定されているわけではありません。それでも、環境の要因を同じにしてしまえば、能力に差が出るのは「遺伝子」が原因である、というわけです。これについては、競争馬「サラブレッド」の世界を見ると、一目瞭然のような気がします。

それに対して、**最近は議論の方向が少し変わり始めています**。言ってみれば、環境の要因をより強調するものです。科学的には、「エピジェネティクス」という説が提唱され、遺伝子の発現にかんして、環境の役割を強調するものです。これは、G(Gene 遺伝子)とE(Environment 環境)のかけ算(G×E)で示されます。つまり、**遺伝子と環境の**

相互作用プロセスを意味するのです。

この考えを紹介した科学ジャーナリストのデイヴィッド・シェンクは、2010年に出版した『天才を考察する（*The Genius in All of Us: New Insights Into Genetics, Talent, and IQ*）』のなかで、次のように語っています。

＊＊＊

われわれの気質、知能、才能は、受胎の瞬間から発達プロセスの影響のもとに置かれる。われわれは、遺伝子だけの力では、利口、愚鈍、生意気、慇懃、陰気、陽気、音楽家、音痴、運動家、運動音痴、読書家、無気力などの特徴を持つことがない。これらは動的システムの複雑な相互作用によって生まれる。われわれは毎日、さまざまな方法で、どの遺伝子を活性化するかの決定にかかわっている。生命と遺伝子は相互に作用しあっているのだ。

（……）

われわれは「生まれか育ちか」を「動的発達」に置きかえる必要がある。


（シェンク『天才を考察する』）

＊＊＊

このシェンクの考えを、「動的発達」論と呼ぶことにしましょう。従来の考えでは、「生

図10-5 シェンクの「動的発達」論

まれ」と「育ち」は、それぞれ別々にあって、相互に関係するにしてもそれぞれの要素は独立していました。これに対して、「動的発達」論によれば、「生まれ」と「育ち」を切り離すことができず、すでに相互に組み込まれているわけです。

この理論は、遺伝子決定論に違和感をもつ人や、環境の要因を強調したい人には、重要な論拠を与えてくれるかもしれません。しかし、具体的な場面で、その考えをどこまで論証できるのかは、今後の課題と言えそうです。

注意すべきことは、この「動的発達」論を採用するとしても、「遺伝子」の役割が否定されるわけではないことです。

本章のポイント

- ●生まれか育ちか?
- ●「経験主義か理性主義か」のルーツ
- ●近代における経験主義と理性主義の対立
- ●AI(人工知能)の設計思想
- ●知能の差は生まれつきか?

第11章 「こころ」は分かり合えるのか

「こころ」で感じたり、考えたりしたことは、言葉によって他の人に伝えることができるのでしょうか。これを疑う人は、それほど多くないかもしれません。というのも、私たちは普通、言葉を使って互いの「こころ」のやり取りをしているからです。

しかし、少し立ちどまって、問い直してみましょう。仕事の場面で、他人と言葉を交わしているとしましょう。たとえば、こんな具合です。

自分「ここの図面の色は、もっと明るくして、軽やかな雰囲気にしてほしい」

相手「はい分かりました。たしかに色を変えると、ずっとよくなりますね」

後日、相手が修正された図面をもってきて、「これでいかがでしょうか」と述べたとき、こう感じることはないでしょうか。

自分「(この前言ったことが理解できなかったのかな?)」

相手「(満足していないみたいだけれど、何を望んでいたのだろうか?)」

こうした事例は、仕事だけでなく、家庭や学校でもよく起こります。これは単なる誤解であって、言葉を尽くせば解決するのでしょうか。それとも、ここには**「こころ」のやり取りをめぐる、大きな問題**が潜んでいるのでしょうか。

「こころ」は目に見えないだけでなく、原理的には他人からアクセスすることができません。私は自分の歯の痛みを感じることはできますが、他人はその痛みを想像することしかできません。**その痛みは私の痛みですが、他人の「こころ」で同じように感じるわけではないのです。**

とすれば、私たちは他人の「こころ」について、いったい何を理解できるのでしょうか。言葉によってだまされたり、だましたりできるのは、「こころ」が本人にしかアクセスできないからです。とすれば、私たちは他人の「こころ」について、いったいどれほどのことを分かっているのでしょうか。

人間は「ウソ」をつくことができる動物である

他人の「こころ」をどうやって知ることができるか、考えてみましょう。ここでは、アメリカの哲学者トマス・ネーゲルが『哲学ってどんなこと?』で使った例を、利用することにします。

今、仮定として、あなたと友人が、同じ種類のアイスクリームを食べているとします。あなたが甘くておいしいと思ったので、友人にも同意を求め、「これ、甘くておいしいよね!」と言うとします。それに対して、友人も同意し、「うん、甘くておいしいよ!」と言えば、この会話には何も問題ないように見えます。しかし、友人が相槌を打ってくれたとき、はたして二人が同じような経験をしていたのでしょうか。

日常生活では、こうした場合、あらためて問題にすることはありません。とくに疑うことなく、他の話題に移っていくでしょう。しかし、立ちどまって考え直してみると、不思議なことが分かります。

図11-1 同じアイスクリームを食べれば、同じ「甘くておいしい」を経験できる？

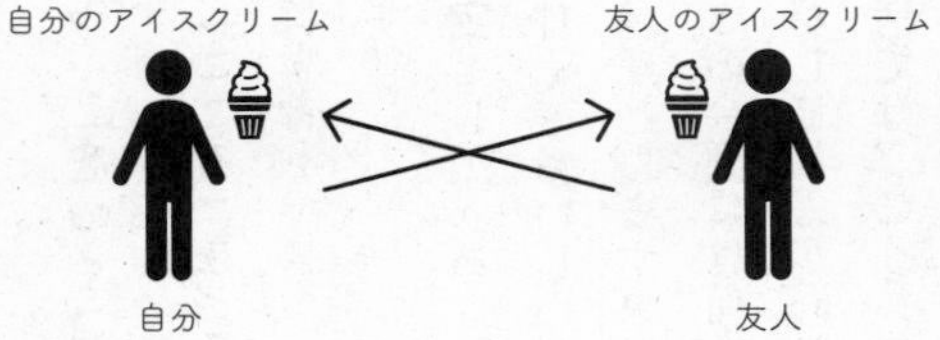

あなたがあなたの食べているアイスクリームを食べて感じている「甘さ」や「おいしさ」は、友人が友人のアイスクリームを食べて感じている「甘さ」や「おいしさ」と同じなのでしょうか。気になったので、二人のアイスクリームを交換してみます。そのとき、同じ味がしたので、二人は同じ感じ方をしていると言えるのでしょうか。

普通は、たぶんそうかもしれないと考えるでしょう。しかし、二人が同じアイスクリームを食べて、ともに「甘くておいしい」と表現しても、二人が感じている経験が同じだとは言えません。

たしかに、自分の感じ方（「こころ」）であれば、まさに自分が経験しているのですから、分かります。一方、友人が感じている経験については、友人のふるまいや言葉からしか分かりません。同じふるまいや言葉を表現しているからといって、二人が同じ経験をしているとは結論できないのです。

図11-2 他人の「こころ」は推測の域を出ない

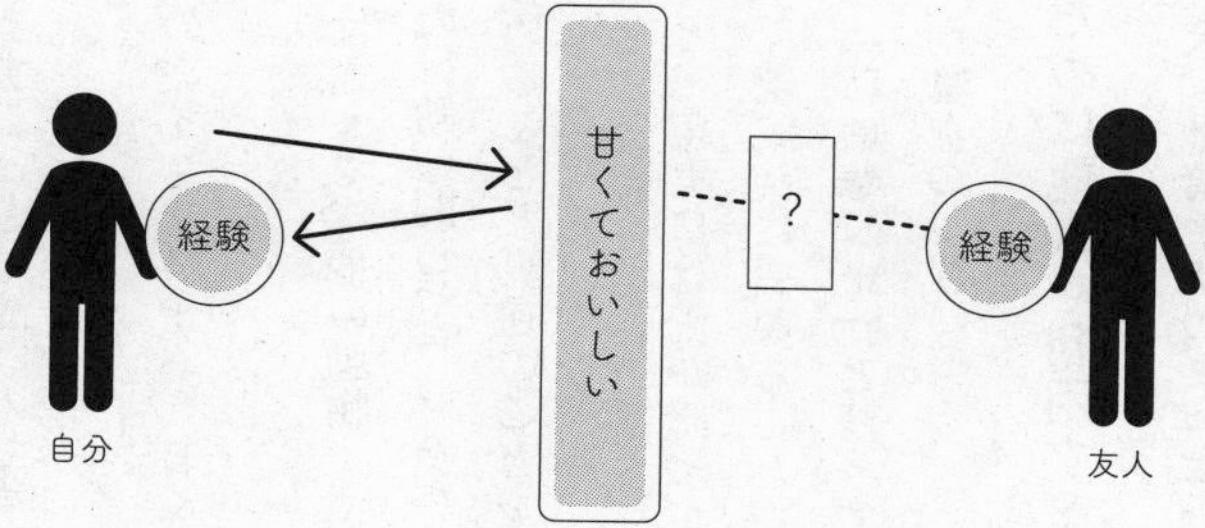

あなたは、友人のふるまいや言葉を観察して、あなたの感じている経験と対応させるでしょう。しかし、それは言うまでもなく、友人の感じる経験ではありません。これは一般に「類推説」と呼ばれていますが、**他人の「こころ」はあくまでも推測の域を出ません。**

ここから、人間について「**ウソをつくことができる動物**」という定義が出てきます。人間は言葉やふるまいを介して、他人とコミュニケーションするのですが、そのときに何を考えたり感じているかは、基本的には本人しか分かりません。そのため、自分が本心から思っていることとは違うことを口にすることもできますし、そうして相手をだますことも可能なのです。

自分「このアイスクリーム、甘くておいしいね」（本心では「まずくて、にがい！」）

人間とは違って、他の動物（すべてではありませんが）は、行動が生物学的に決まっていて、その行動に関してウソをつくことができません。ところが、人間の場合は、「こころ」で感じていることと真逆のことを口にすることもできますし、そうして他人を欺くことができます。

もともと、現実には雨が降っていても、「今は晴れている」という言葉を発することができます。現実とは異なることを表現できるのが、人間の言葉の特性です。したがって、ある人が「私は悲しい」と語っているからといって、その人が本当に悲しいかどうかは、まったく別物なのです。

目的のために他人を利用する「歪められたコミュニケーション」

とすれば、他者とのコミュニケーションは、どこまで成り立つのでしょうか。それを考

図11－3 ハーバマスが分類した人間の行為

行為	成果志向的	了解志向的
物に対して	道具的行為	
人に対して	戦略的行為	コミュニケーション的行為

えるために、現代において「コミュニケーション」の意義を強調したドイツの哲学者ユルゲン・ハーバマスの議論から始めましょう。

ハーバマスは、1981年に『コミュニケイション的行為の理論』を発表するのですが、そのなかで人間の行為を図11－3のように分けています。

「成果志向的行為」というのは、自分の目的のために、自然や物、他の人々を操作支配することです。自然や物に対しては「道具的行為」、他の人々に対しては「戦略的行為」と呼ばれます。それに対して、他の人々との相互の理解を求めて行動することが、「了解志向的行為」と呼ばれています。

人に対する行為を、「戦略的行為」と「コミュニケーション的行為」に分けるのは、現実の世界で「コミュニケーション的行為」よりも「戦略的行為」が増大しつつある、と見なされているからです。

ハーバマスによれば、言葉を使って人間相互が分かり合い、理解し合うのではなく、**他人を自分の目的のために利用し、他人を道具化する**ことが広く浸透しています。これを彼は、**「歪められたコミュニケーション」**と呼んでいます。

たとえば、上司が会議の途中で、部下に対して資料を作成するように依頼したとします。実際に会議でその資料が必要であるときは、上司は部下に次のように言うでしょう。「急で悪いけれど、会議で必要なのでよろしくお願いしたい」。これは、「コミュニケーション的行為」と見なすことができます。

それに対して、上司がその部下に対して常々不満をもっていて、部下を会議に出席させたくないために、資料作成を依頼したとしたらどうでしょうか。言葉としては、先ほどとまったく変わらず、「急で悪いけれど、会議で必要なのでよろしくお願いしたい」となります。これが「コミュニケーション的行為」でないのは、**上司が部下と互いに了解し合うことを求めていない**からです。むしろ、自分の目的（部下を会議に出席させない）のために、言葉を利用しているのです。

すでに察知されていると思いますが、こうした戦略的行為はパワハラやセクハラでよく使われるやり方です。ハーバマスとしては、こうした権力的な「歪められたコミュニケーション」に対抗するために、「コミュニケーション的行為」を提唱したのです。

しかし、互いに「こころ」が分かり合えるような真のコミュニケーションは、可能なのでしょうか。日常的な世界では、コミュニケーションはたいてい権力的な関係と不可分になっています。とすれば、そもそも権力的な関係から逃れたコミュニケーションなど、成り立つのでしょうか。

「コミュニケーション」と「メタ・コミュニケーション」

コミュニケーションを考えるとき、コミュニケーションの階層性を理解する必要があります。たとえば、私が誰かに、「向こうから車が来ている!」と語ったとき、その人に「注意しなさい!」と警告のメッセージも与えています。

あるいは、夜遅く帰宅した子どもに、親が「何時だと思っているの!?」と言うのは、単に時間を聞いているわけではありません。子どもが「11時だよ」と言えば、親はきっと、怒り出すのではないでしょうか。このとき親が言いたいのは、「もっと早く帰ってきなさい！」ということだからです。

こうしたことは、私たちのコミュニケーションでは、特別なことではなく、じつはいつも行なわれています。一方の**文字通りの「コミュニケーション」に対して、もう一つのメッセージを与えることを「メタ・コミュニケーション」**と呼びます。「向こうから車が来ている！」や「何時だと思っているの!?」のように、コミュニケーションには、「メタ・コミュニケーション」がともなっているのです。

そのため、「メタ・コミュニケーション」を理解しなければ、相手とのコミュニケーションがうまくいかないことになります。

たとえば、部下と話しているとき、重要な客がやってきたとします。そこで上司は、部下にさりげなく「悪いけれど、コーヒーを買ってきてくれないか」と頼んだとします。このとき、普通だったら、「承知しました」と言って席を外すのですが、「メタ・コミュニケーション」が理解できない部下だったら、「ホットにするかアイスにするか、砂糖やミルクはいくつ必要か」などについて、いろいろ聞き返すかもしれません。

上司としては、「察しの悪い奴だ！」と呆れるかもしれませんが、こうした「メタ・コミュ

図11-4 「コミュニケーション」と「メタ・コミュニケーション」の矛盾

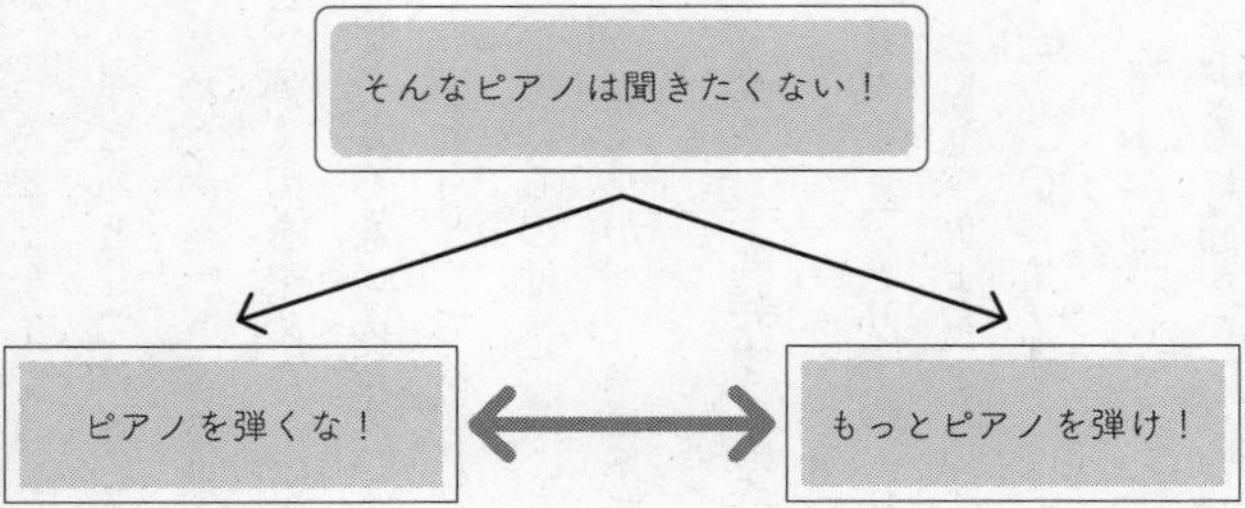
そんなピアノは聞きたくない！
ピアノを弾くな！
もっとピアノを弾け！

ニケーション」を理解できない人は、少なくはありません。

自分の好きな人から、「あなたって、とてもいい人ね！」と言われたとき、これは喜ばしいことなのでしょうか。

難しい状況が生まれるのは、**「コミュニケーション」と「メタ・コミュニケーション」がまったく対立したメッセージを発するときです。**

たとえば、ピアノの練習をしている子どもに向かって、母親が「もうやめて！そんなピアノ聞きたくないわ！」と言ったとき、子どもはどんな行動をとればいいのでしょうか。

文字通りの「コミュニケーション」を理解すれば、「ピアノを弾くな！」と言われているのですから、子どもとしては弾くのをやめるでしょう。ところが、やめたとたんに、親は「どうしてやめたの？」と言うはずです。そのとき子どもは、「『お母さんがやめて！』と言ったから、弾くのをやめた」と答えるのではないでしょうか。そうしたら、親は「あなたはどうして分からないの!? 早く弾きなさいよ！」と怒るはずです。

こうなると、子どもとしては、どうしていいか分からなくなります。

ここで起こっているのは、「コミュニケーション」のメッセージと「メタ・コミュニケーション」のメッセージが、完全に矛盾していることです。

対立したメッセージを発するダブル・バインド状況

このような状況を、アメリカの人類学者グレゴリー・ベイトソンは、「ダブル・バインド」状況と名づけました。訳すとすれば、「二重拘束」状況ということになります。では、ベイトソンは、どうして「ダブル・バインド」論を提唱したのでしょうか。一つのいじわるな例を考えてみましょう。

たとえば、子どもに向かって、親がニコニコ笑いながら「こっちにおいで！」と声をかけたとします。それを見て子どもは、一目散に親に向かって走っていきます。それなのに、子どもが近づいたとき、親が子どもを殴ったとすれば、どうでしょうか。

おそらく、子どもはびっくりして、泣き出すに違いありません。そこで再び、子どもに向かって、「どうしたの、ほら、こっちにおいで！」と笑いかけるとしましょう。そして近づいたら、また同じように殴られます。

これが繰り返されたとき、親が発する「こっちにおいで！」というメッセージをどう理解したらいいのか、子どもは分からなくなるでしょう。その結果、子どもは、親が語ることに対して、理解することを拒否するようになるでしょう。

このように、**対立したメッセージを発する「ダブル・バインド」状況**に置かれ、それが繰り返し経験され、しかもそこから逃れられないとき、いったい何が起こるのでしょうか。

ベイトソンは、1956年に発表した論文（「精神分裂病の理論化に向けて」）において、この状況を「こころ」の病である「精神分裂病」（現在は「統合失調症」）の原因と考えました。ベイトソンは、「精神分裂病」の青年と、その母親の関係について次のように書いています。

①子どもが母親を愛情深き存在として応答しようとすると、母親は不安を感じ、子どもを遠ざけようとする。すなわち、子どもの存在が母親にとってまさしく特別の意味をもち、子どもとの親密な関係に引き入れられそうになると、母親のなかに不安と敵意が呼び起こされる。

②母親は子どもに対して不安や敵意をもっていることを受け入れることができない。そのため、そうした感情を否定する方法として子どもを愛していることを強調し、子どもに対して、愛情に満ちた母親として応答するよう説得する。

③ところが、子どもがそうした応答をしない場合、母親は彼を遠ざけようとしてしまう。

このような関係は、どこにでもあるわけではありませんが、それよりも軽微な形（「小ダブル・バインド」状況）であれば、家庭でも学校でも職場でも見受けられます。注意して周りを見てみれば、おそらく気づくのではないでしょうか。

メタ・コミュニケーションの概念で「遊び」を分析

コミュニケーションにおいて、メッセージとメタ・メッセージが対立するのは、必ずしも病的な場合だけではありません。ベイトソンは、メタ・コミュニケーションの概念から、「遊び」や「ジョーク」といった行為も分析しています。

「遊び」として、「ケンカごっこ」をしているとしましょう。一見したところ、この遊びをしている子どもたちは、足蹴りをしたり、手で殴るそぶりをしたりしているので、ケンカをしているように見えるかもしれません。そんなとき、そばを通った教師が「ケンカするな！」と注意するかもしれません。

そう言われたら、子どもたちはすぐに答えるでしょう。「先生、オレたちケンカなんかしていませんよ。遊びですよ、遊び！」。

では、このとき「遊び」とは、どんなことでしょうか。ベイトソンは、次のように述べています。

＊＊＊

遊びという現象は、（……）メタ・コミュニケーションが可能な場合に、言いかえると、「コレハ遊ビダ」というメッセージを伝達する信号を交換することが可能な場合に生ずることになる。

（ベイトソン『精神の生態学へ』）

＊＊＊

このとき、「コレハ遊ビダ」というメッセージとは、どんなものでしょうか。ベイトソンは、次のように説明しています。

＊＊＊

「私タチガ目下ジュウジシテイル行為ハ、ソレニヨッテ表示サレル行為ガ表示スルトコロノモノヲ表示シテハイマセン」。（同書）

＊＊＊

この表現は、よく知られているものとしては、「ウソつきのパラドックス」と同じ形をしていますが、その点についてはここでは触れません。

今、理解したいのは、「遊び」としてケンカすることは、たしかに「ケンカ」を表示してはいますが、それと同時に、「ケンカ」として表示されるはずのものを「表示していない」のです。というのも、「ケンカごっこ」は、実際に「ケンカ」するわけではないからです。

つまり、**「遊び」としての「ケンカごっこ」は、「ケンカ」をしているように見えながら、「ケンカ」をしているわけではないのです。**

これを、メタ・コミュニケーションという言葉を使って、説明してみましょう。

コミュニケーションのレベルで見れば、「ケンカごっこ」は、殴り合うわけですから、まさに「ケンカ」というメッセージを発しています。ところが、メタ・コミュニケーションのレベルで考えると、そのメッセージは否定され、それが「ケンカ」でないことが示されます。つまり、「ケンカ」でありつつ「ケンカ」ではないということが、メタ・コミュニケーションという概念によって、明らかになるのです。

これは、じつを言えば、**「ジョーク」と同じ構造**をもっています。

たとえば、ジョークとして、「君をぶん殴りたいよ！」と言ったとしましょう。しかし、これがジョークであるかぎり、本当に「ぶん殴りたい」わけではありません。メタ・メッセージとしての「君をぶん殴りたい」は、メッセージとしての「君をぶん殴りたい」を意味していません。

このように見ると、人間同士のコミュニケーションといっても、その意味を理解するには、一筋縄ではいきません。遊びやジョークのつもりで行なったり言ったりしたことが、**相手にはメタ・メッセージが伝わらないこともあります。**あるいは、ダブル・バインド状況に陥ったために、**メタ・メッセージの理解を拒否する人もいるかもしれません。**こんなとき、コミュニケーションが単純でないことは、想定しておきたいものです。

本章のポイント

- 「こころ」は分かり合えるか?
- 戦略的行為とコミュニケーション的行為
- コミュニケーションとメタ・コミュニケーション
- ダブル・バインド論
- メタ・コミュニケーションを利用したジョーク、遊び

第12章 「こころ」は嫉妬と模倣と支配に満ちている？

「こころ」は目には見えませんが、自分ひとりでいるときは、それほど困ったことは起きません。ところが、人間はひとりで生きているわけではなく、たえず他の人々とかかわりながら生きています。親兄弟から始まって、学校の友だち、会社の上司や部下・同僚たち、さらにはメディアやネットを通してかかわる人々など、挙げていけばキリがありません。

まことに、人間は社会的動物と呼ばれるように、一人ひとりの生活が、他の人々との複雑なネットワークによって結ばれています。住む、食べる、学ぶ、働くといったどの場面でも、他の人々は深くかかわっています。

この他の人々との諸関係は、ある意味で一人ひとりの生活を成り立たせているのですが、同時にそれぞれの人に厄介な問題を突きつけてきます。胸膨らませて入学した学校で、人間関係に悩まされることがあります。それ以前に、愛情豊かな家庭のはずが、修羅場となることもあります。仕事をするために会社に勤めたのに、仕事以外の人間関係がうっとうしいことも少なくありません。言ってしまえば、人の悩みの大半は、人間同士の関係から生まれるわけです。

しかし、人々はどうして相互にかかわるようになると、厄介な問題を引き起こすようになるのでしょうか。

その基本にあるのは、人が他の人とかかわるとき、**「こころ」と「こころ」の間で化学反応**をして、それぞれの人だけでは解決できない事態となるからです。

この厄介さの根本にあるのが、**人間の「欲望」**です。よく似た言葉に「欲求」と呼ばれるものがありますが、こちらは動物的な本能に近く、たとえば「食欲」のように生存にかかわります。これに対して、「欲望」は、人間が媒介となって、「する―しない」の選択をすることが可能です。どんなに空腹でも、断食できるのは、人間の「欲望」にかかわるからです。

この章では、そうした「欲望」に光をあて、人間関係のなかで「こころ」が生み出す厄介な傾向を探っていきましょう。この傾向を知っておくと、**目に見えない「他人のこころ」**

についても、ある程度予測することができます。この章で取り扱うものは、おそらくみなさんもしばしば経験したことがあると思います。読みながら、自分の事例と当てはめることもできるでしょう。

人間は「他人を介して自分を知る」

2008年に、東京・秋葉原で通り魔事件が起き、多数の犠牲者が出ました。このときニュースなどでは、しばしば犯人の「承認欲求」が語られました。職場では、惨めな状態に置かれ、ネットなどでも批判された青年が、「何かどデカいことを起こし、世間から注目されたい」と考えて犯行に及んだと、解説されたのです。

この「承認欲求」という言葉は、犯罪にかかわるだけでなく、今では社会のいたるところで使われるようになっています。一般には心理学の概念として、マズローの欲求理論が語られるのですが、もともとは18、19世紀の哲学者ヘーゲルが打ち出した概念です。

＊＊＊

「承認」は現代のキーワードとなった。ヘーゲル哲学の古ぼけたカテゴリーが、最近、政治理論によって復活し、現代的な闘争、つまりアイデンティティと差異をめぐる闘争を概念的に理解しようとするとき、「承認」概念が中心的なものとなっているのだ。

（ナンシー・フレイザー、アクセル・ホネット『再分配か承認か？』）

＊＊＊

このときヘーゲルは、動物的な欲求と人間的な欲望を区別していますので、承認欲望という言葉を使います。それを理解するため、私たちがブランド物を欲しがることを考えてみましょう。そのとき何が起こっているのでしょうか。

ヘーゲルを解説した、フランスの哲学者アレクサンドル・コジェーヴによれば、人間の場合は、その物そのものが欲しいというよりも、むしろそれをもつことで、他人から賞賛されたり、他人よりも上位に立ったりできること、つまり、他人から承認されることを欲望しているわけです。たしかに、バッグはたくさんもっているのに、あえて高価なブランドのバッグを買う人は、**そのバッグそのものよりも、他の人から承認されることを欲望しているのでしょう。**

しかし、どうして「承認欲望」をもつのでしょうか。

その根本的な理由を、ヘーゲルは「自己意識」という概念によって説明しています。簡単に説明すれば、「自己意識」というのは、他人について自分を映す鏡のようなものと考

図12-1　二人とも相手の態度を見て、自分のあり方を認識する

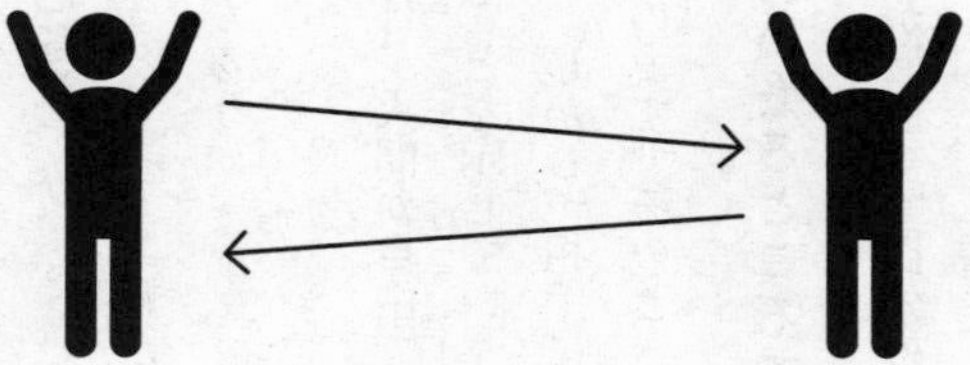

え、「他人を介して自分を知ること」です。というのも、自分が何であるかは、他人によって理解できるからです。

たとえば、私が優秀な人間であれば、自分で自慢しなくても他人がそのように取り扱ってくれます（「彼はすごい！」「天才だ！」というように）。逆に、他人がそのように取り扱ってくれなければ、どんなに自惚れていても、私には能力がないわけです。

図解しておけば、二人の人間が登場しますが、そのどちらも「自己意識」と考えることができます。**それぞれが、他方の態度を見て、自分のあり方を認識するわけです**（図12−1）。

この「自己意識」から、何が生じるのでしょうか。ヘーゲルの議論を、簡単に要約しておきます。

＊＊＊

人間は「自己意識」という態度をとるようになると、対象

（＝相手）において自己自身を知るようになる。人間は、自分自身が自由で独立していると考えるので、それを対象（＝相手）において確証しようとする。こうして、二人の人間（＝自己意識）が、それぞれ自由で独立していることを主張し、相手からもそれを認めてもらおうとする。これが「承認を求める闘争」と呼ばれるものだ。この闘争はどのように進むのだろうか。

（ヘーゲル『精神現象学』）

＊＊＊

これは、**人間が自由で独立したものであるためには、他者（＝相手）からの承認が必要である**ことを示しています。相手がそれを認めてくれるからこそ、自分が自由でいられるのです。しかし、相手にしても、同じように考えますから、**それぞれが相手からの承認を求める**のです。そのとき、どうなるのでしょうか。

社会のいたるところで生まれる「主人と奴隷」

二人が最後まで自分の主張を貫き、生命を賭して闘ったとしましょう。そうしたら、おそらく二人のうちどちらか、あるいは両方が死ぬことになります。つまり、どちらかが、譲歩しなければ、悲劇的な結果になるわけです。そこで、**いずれかが譲歩したら、どんな**

結果になるでしょうか。

ヘーゲルによれば、「生命」に執着せず、「死への恐怖」を乗り越えた人は、自由で独立した存在と見なされます。それに対して、途中で譲歩して、「生命」を選んだ人は、「生命に隷属」しているのだから、自由で独立した存在とは見なされません。こうして成立するのが、「主人と奴隷」の関係です。

主人は奴隷によって承認され、支配される奴隷の態度のうちに、自分自身が自由であることを確信します。奴隷は、主人の意向を実行するわけです。逆に、奴隷の方は、主人に服従することによって、自分が奴隷であることを自覚するのです。

この主人と奴隷の関係は、極端に見えますが、他人との関係をあらためて見直すとき、いたるところで成り立つのが分かります。「主人（承認される人）―奴隷（承認する人）」の関係は、特別なわけではありません。家庭でも、学校でも、職場でも、地域でも、いたるところで上下関係（カースト）ができ上がり、一方が「支配する人」、他方が「服従する人」になるわけです。しかも、でき上がった「主人と奴隷」の関係は、簡単には解消されません。

「主人と奴隷」などといえば、時代錯誤的に聞こえるかもしれませんが、今日でも普通の現象です。たとえば、秋葉原に行けば、「いらっしゃいませ、ご主人様」といって、出迎えてくれる店があります。客としては、支配したい欲望（承認される欲望）を、ほんの少しだけ満足させてくれるわけです。

よく考えてみれば、**恋愛関係自体が「どちらが主人で、どちらが奴隷となるか」の闘争**と見ることができます。

学生に、「相手から愛される（承認される）ことと、相手を愛する（承認する）こととの、どちらがいいか？」と質問すると、「相手から愛されたい」という答えの方が圧倒的に多いです。その理由は、「私が主人になれるから」というものです。**この極限が、「アイドル」**かもしれません。「アイドル」は、国王が臣民を支配する（臣民から承認される）ように、ファンとなる人々（承認する人）を支配できるからです。

奴隷は他人を承認することはあっても、自分が承認されることはありません。しかし、奴隷とまではいかなくても、**世の中には「承認されない人」は少なくありません。**こういう人が、「自分も承認されたい」と求めて、承認欲望をもつことになりますが、これが何を意味するかは予測がつきます。

つまり、自分が「主人」や「王」となり、他人を支配したい、自分の意のままに動かしたいわけです。言いかえると、「他人から承認されたい欲望」は、「他人を支配したい欲望」に他ならないのです。「奴隷として相手を承認する」のではなく、「主人として相手を支配し、相手から承認されたい」わけです。

こう考えると、「承認欲望」とは、簡単に言ってしまえば「支配欲望」に他なりません。他人を自分の意のままに動かせるようになりたい――これが、承認欲望と言えます。

「能力(力)」の差が生む「妬みの欲望」

主人か奴隷かという関係ではなく、今度は「能力(力)」の差から生まれる人間関係を考えてみましょう。それについては、19世紀のドイツの哲学者フリードリヒ・ニーチェが明らかにしています。

たとえば、ここに優秀なスポーツ選手(能力=力のある人)と平凡で劣等なスポーツ選手(能力=力のない人)がいるとします。このとき、「力」のある人を「強者」、「力」のない人を「弱者」と呼ぶことにします。分かりやすくするため、図示しておきます(図12-2)。

この二人の関係を考えてみましょう。強者にとっては、弱者(ザコ)のことなど眼中に

図12-2 「能力(力)」の差から生まれる人間関係

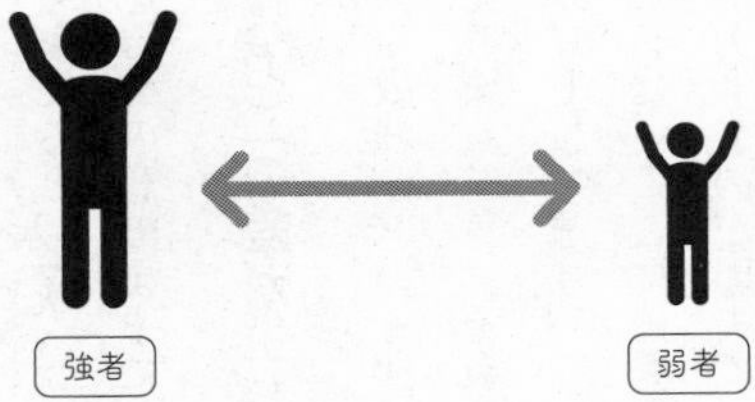

はなく、自分の力を増大させることに励んでいます。ところが、弱者にとっては、強者のことが何かと気に入らないでしょう。このとき、「力」で勝負しても、弱者には勝ち目がないことは言うまでもありません。そこで弱者はどうするでしょうか。

ご存じだと思いますが、強者というのはたいてい少数で、孤立しています(能力のある人は少数です)。それに対して、無力な弱者が多数派をつくります。そのため、一人では強者に対抗できない弱者(ザコども)が集まり、ヒソヒソ話をして、強者の悪口を言い、強者を引きずりおろそうとするのです。これをニーチェは、「畜群本能」と呼んでいます。**能力のない「弱者」は群れたがる**のです。

たとえば、「アイツ、ちょっとうまいと思って、何様だと思ってんだ! スタンドプレーばっかりしやがって、他の人のことなど考えていない!」というように。それに比べ、「弱者の自分たちは、みんなで集まり、協力している。こころ優しい者たちだ。チームプレーが大切。協調する和の精神」。まさに、日本には「出る杭は打たれる」という格言があります。

こうした弱者たちの態度を、ニーチェはフランス語を参考にして、**「ルサンチマン」**と名づけました。これは、「逆恨み」とか「反感」とも訳されますが、基本的には、**弱者が強者に対する「妬み」から、自己正当化をすること**を意味します。力のない弱者が「善い人」であり、力のある強者は「悪い人」だというのです。ニーチェによれば、「道徳」はこのような弱者たちの「ルサンチマン」から生まれた、とされます。

実際、世の中を眺めてみると、しばしば**「妬みからの道徳」**に気づくのではないでしょうか。マスコミでも、学校でも、ご近所でも、職場でも、いたるところで「弱者のルサンチマン」が蔓延し、その正当化が行なわれています。

たとえば、キリスト教の道徳として、「隣人愛」が強調されます。その世俗的な形として、「弱者には親切にしましょう」と言われます。また、政治形態として、「民主主義」が社会の原理とされています。しかし、ニーチェによると、これらはみな、「弱者のルサンチマン」から生まれ、それを正当化しているにすぎないのです。このように見ると、なぜニーチェが『反時代的考察』という本を書いたか、その理由が分かるのではないでしょうか。

ニーチェが「道徳」や「民主主義」を批判するのを見て、違和感をもたれるかもしれません。強者の傲慢さを感じ取る人もいます。しかし、彼が「弱者たちのルサンチマン」を暴き出したことは、社会を見る視点として有効です。身の回りのどこにでも、容易に見つけることができます。

力（能力）のない弱者たち（ザコども）は、群れをつくり、ヒソヒソ話をして、力（能力）のある強者を引きずりおろしたがっているのです。そのために、道徳や「和のこころ」などが利用されるかもしれません。注意しておきたいものです。

他者の欲望を模倣する「欲望の三角形」

スタンフォード大学で哲学を学んだ、現代アメリカの有名な起業家ピーター・ティールについては、あらためての説明が不要かもしれません。「ペイパルを共同で設立して億万長者になった。フェイスブックで初の外部投資家になった」――といえば、多くの人がご存じだと思います。

そのティールが大学時代に教えを受けた哲学者が、ルネ・ジラールです。ジラールはフ

図12-3 ジラールの「欲望の三角形」

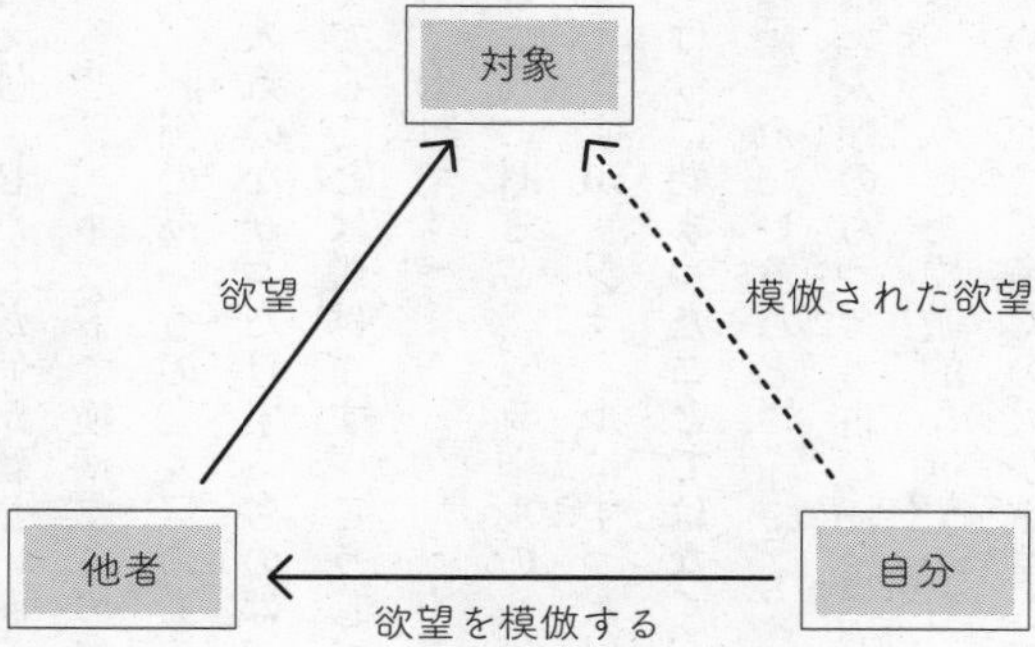

ランス出身ですが、20代のときにアメリカに移住し、研究生活を続けています。ティールはジラール哲学から影響を受け、ビジネスに活用したと語っています。どこが、ティールに作用を及ぼしたのでしょうか。

まず一つは、「模倣の欲望」という考えです。ジラールによれば、人間の欲望は動物的な「欲求」とは違って、「媒介者（モデル）」が必要とされます。欲望は、その対象（欲望されるもの）を直接的に欲望することができず、むしろ媒介者である他者の欲望を模倣するわけです。つまり、「欲望は、他者の欲望を模倣することだ」と述べます。そのため、ジラールは「欲望の三

角形」という図式を提示しています（図12−3）。

たとえば、私たちが何か新しい商品を買おうとするとき、あるいはどこかで食事をしようとするとき、ネットで検索するのではないでしょうか。そのさい、さまざまなコメントを見て、評価の高いもの、人気のあるものを選択することが多いでしょう。**評価が低かったり、人気のなかったりするものは、他の人が欲望しなかったものですから、**あえてそれを選択することは避けます。こうして、けっきょくのところ、私たちは「他者の欲望を模倣する」わけです。

このように語ると、ジラールの「模倣の欲望」論が、現代のネット社会を描いているように見えますが、ジラールはずっと以前から論じていました。というのも、この**「模倣の欲望」は今に始まったことではなく、人間の歴史と同じくらい古い**のです。彼は『世の初めから隠されていること』（1978年）というタイトルの著書をもっていますが、こうした欲望は「人類のもっとも古い秘密」と表現することもできます。

では、こうした模倣的な欲望から、何が出てくるのでしょうか。すぐに分かるのは、同じ物をめぐって、多くの人が欲望して、激しく対立するようになることです。

＊＊＊

どんな欲望も、それが共有されているのを見ればなおさら激しくなる。（……）同じ大きさで逆向きの二つの三角形は、このとき、互いに重なり合おうとする。欲望は、二人のライバルの間で次第次第に急速に、ちょうど充電中のバッテリーにおける電流のように、その往復ごとに強さを増しながら循環する（……）。それぞれが、自分の欲望の優先権と先在権を主張しながらも、模倣するのだ。それぞれは他方のなかに、恐ろしく残虐な迫害者を見る。

（ジラール『欲望の現象学』）

＊＊＊

ここに、同じ女性への愛をめぐって対立する友人同士、職場での同じポストをめぐって対立する同期の者たちなど、いろいろ読み込むことができます。**欲望が模倣であるかぎり、同じ対象をめぐって対立関係が生まれるわけです。**

実際、こうした欲望する者の対立、争いはいたるところで起こっています。では、ここから何が生まれるのでしょうか。

欲望と暴力は連鎖する

ジラールによれば、人間の「欲望は本質的に模倣的である」とされました。つまり、「欲

図12－4　二つの欲望は同じ対象に向かっていく

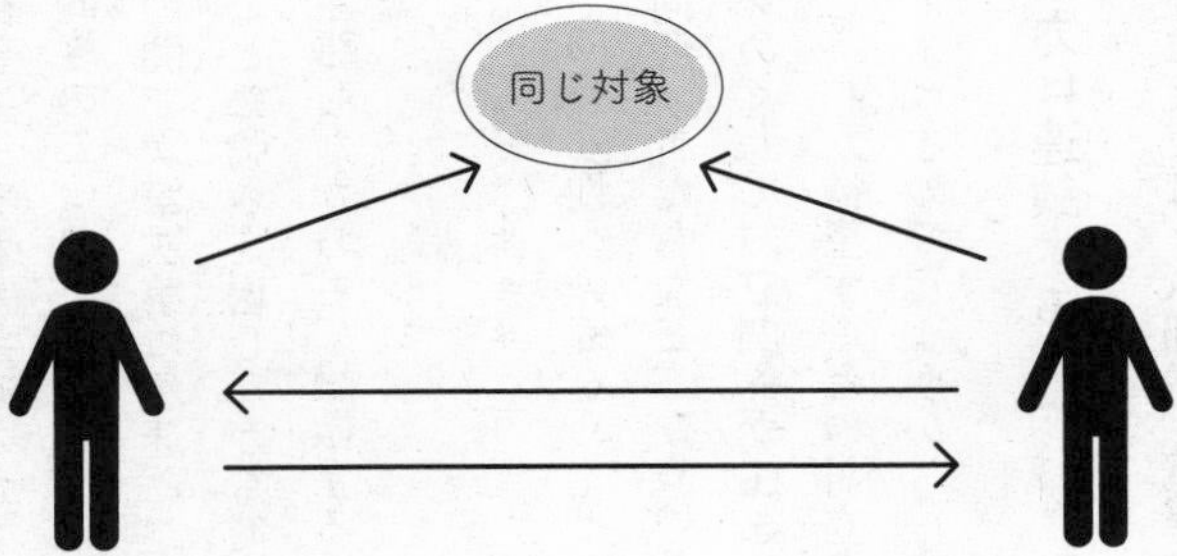

望は手本（モデル）となる欲望から写し取られ、欲望は、その手本と同じ対象を選び取る」のです。こうして、二つの欲望が同じ対象に向かっていくわけです。

こうした関係から生まれるのは、最初は争いです。「同一の対象に収斂する二つの欲望は、互いに相手の障害となる。欲望にもとづく一切のミメーシス［模倣］は、自動的に、争いに通ずる」――こうジラールは語ります。つまり、模倣的欲望は、欲望する者同士を敵対させるのです。

＊＊＊

ここで提起された図式は、涸れつきることのない葛藤の源を掘り出している。模倣的欲望という概念は、人間の欲望を他人の欲望の模写とすることによって、必然的に、敵対関係に通じてゆく。こうした必然性が今度は、他者の暴力の上にその欲望を固定化する。（ジラール『暴力と聖なるもの』）

＊＊＊

次に確認しておきたいのは、**模倣から生じた暴力には、「感染性」あるいは強い「伝染性」があることです。**「ほんの僅かな暴力でも、大動乱をひきおこすエスカレーションの源になり得る」のです。暴力は暴力を呼び起こし、次第に拡散されていきます。ジラールは暴力の特性を次のように描いています。

＊＊＊

人々が暴力を制御しようとつとめればつとめるほど、彼らは暴力に餌を与えることになる。暴力は、人がそれに対置する障害物を、行動の手段に変えるのである。暴力は、消そうとして投げ込むもの一切を貪り食って激しく燃え上がる焔に似ているのだ。（同書）

＊＊＊

このように、模倣の欲望は、同じものを求めて争いを生み出し、激しい暴力となって燃え続けるのです。「暴力と欲望とは、それ以来、たがいに結合する。主体は、欲望が目覚めるのを見ずに、暴力に耐えることができない」。

図12-5 「スケープゴート」のメカニズム

それでは、こうした欲望と暴力の連鎖を収束させるには、どうすればいいのでしょうか。ジラールが明らかにするのは、「スケープゴート」のメカニズムです。

＊＊＊

個人対個人の対立のあとに、急にひとり対全員の対立が起こります。個々の人間どうしのてんでばらばらな争いのあとに、とつぜん、一つにまとまった形の敵対関係が生じます。つまり、一方は共同体の全員、他方は犠牲者という形に分かれます。（……）共同体は、ひとりの人間を犠牲にすることによって、全体の連帯性をとりもどすのです。

（ジラール『世の初めから隠されていること』）

＊＊＊

集団の連帯性を確立するために、誰か一人をスケープゴートとして犠牲にする。こうした議論は、極端に見えるかもしれませんが、じつを言えば、社会のいたるところで見いだせそうです。学校や会社などの組織を考えてみると、それほど現実離れした話ではありません。世の中には、何とも恐るべきことが「隠されている」のです。

本章のポイント

- ●承認されたい欲望
- ●支配したい欲望
- ●ルサンチマンという妬みの欲望
- ●欲望とは他者の欲望を模倣すること
- ●暴力とスケープゴート

おわりに

「こころ」がわかる哲学――このタイトルのもとで、お話をいたしました。最後まで読んでくださったことに、まずはお礼申し上げます。お読みになった感想は、いかがでしょうか？「こころ」が分かるどころか、むしろワケが分からなくなった！――こんな声が聞こえてきそうです。もし、そうだとするならば、著者としては喜ばしいことです。

と言いますのも、**「こころ」について、分かりきったことなどない、というのが、哲学的探究の基本だからです。**私としては、「『こころ』がいかに分からないものであるか」を分かっていただくために、この本を書いたといっても過言ではありません。

しかし、「『こころ』なんて、分からないものですね」と言って、本書を閉じてしまうと、何とも無責任に見えそうなので、最後に私なりの方向性を少しお話しさせていただきます。

「はじめに」でも述べましたが、21世紀を迎えた現代は、数百年続いてきた近代という時代の転換期を迎えている、と言えます。そのため、近代の考えも根本から変わることになります。「中世から近代へ」という場合、しばしば「神から人間へ」と表現されたりしますが、たしかに近代は「人間主義（ヒューマニズム、人文主義）」を中心に回っています。「こころ」にかんする近代的な考えは、デカルトによって宣言されています。「こころ」をもつのは、（神を除けば）人間のみであって、それ以外は生物であれ、非生物（自然や人工物）であれ、「こころ」は帰属しないのです。もちろん、例外もありますが、メイン・ストリームとしては「『こころ』の人間限定主義」が、パラダイムだったと思います。ところが、20世紀後半のテクノロジー革命によって、「こころ」にかんする私たちの考え方も、変わり始めてきました。人間だけに「こころ」を限定するという従来の考えは、そろそろ代案が必要になりつつあるのです。そこで、たとえば「そもそも人間に『こころ』はない」という消去主義的思考実験が提唱されたり、あるいは別の方向として、「ＡＩ（人工知能）には『こころ』はあるのか」という疑問が生まれたりします。近代の発想からすると、常識はずれの問いですが、まさに現代において真剣に答えが探されています。

このような次第で、**私たちにはそろそろ、ポスト近代的な「こころ」の考えが**、必要になってくるのではないでしょうか。「こころ」を人間に限定せず、もっと広い領域で「こころ」のあり方を見出してもよさそうです。そのヒントとして、「愛と憎しみ」といった「こころ」のはたらきについて、問い直してみましょう。

近代的な発想からすると、「愛と憎しみ」はきわめて人間的な現象であり、「人間の愛憎劇」という表現もあります。しかし、「そもそも、愛と憎しみは人間に限定される現象なのか？」と問われたら、どうでしょうか。

現代では、「初音ミク」というバーチャルなキャラクターに恋する人もいますし、チャットGPTが制作した画像に性的な魅力を感じる人もいるでしょう。とすれば、いつまでも「愛と憎しみ」を人間だけに限定しつづけていいのでしょうか。

古代ギリシアの哲学者エンペドクレスは、「愛と憎しみ」を万物の現象と見なし、「土」「水」「火」「空気」という四つの元素の引力（愛）と斥力（憎しみ）によって説明しています。異なる元素が引きあうことが「愛」であり、斥けあうことが「憎しみ」というわけです。そう考えると、人間の「愛と憎しみ」はこの万物の出来事の、いわば一つの事例となります。

近代人の眼から見ると、人間特有の現象を自然の内に擬人化したと言うかもしれませんが、エンペドクレスの考えでは、むしろ人間もまた「自然」のうちの一つであり、人間の「愛と憎しみ」は「引力と斥力」として理解できるのです。

これは一例にすぎませんが、「こころ」を人間だけに限定した近代的な理解は、今後さまざまな形で変更されていくのではないでしょうか。

では、「こころ」をどう考えたらいいのでしょう。

かつて、デカルトの「こころ」の理解に対して、ギルバート・ライルが「機械の中の幽霊」と呼んで、批判したことがありました。私としては、この批判の文脈から離れて、「こころ」を「幽霊」と表現するのは、意外と有効ではないかと考えています。ドイツ語で「こころ、精神」は「ガイスト（Geist）」と言い、語源的には英語の「Ghost（幽霊）」と同根だとされています。ヘーゲルのキリスト教理解では、神もイエスも聖霊も「Geist」ですので、神も「ゴースト」だと言えば失礼かもしれませんが、それに近いものと言えそうです。

ということで、**「『こころ』はゴーストだ」**というのが、現在の私にはもっとも適切な表現のように思えます。存在すると思える人には存在し、存在しないと考える人には存在しない。**さまざまな現象のうちに、「こころ」を読みとるかどうかは、その人次第なのかも**しれません。そう考えると、「『こころ』のマジカル・ミステリー・ツアー」は、「ゴーストバスターズ」の活劇と言えます。みなさんも、このチームにあらためて参加しませんか。

最後になりましたが、本書は企画段階から出版にいたるまで、日経BP編集部の酒井圭子さんに大変お世話になりました。この場をかりて、こころよりお礼申し上げます。

岡本裕一朗

原佑訳『純粋理性批判』平凡社ライブラリー／アリストテレス、内山勝利他編『アリストテレス全集12』岩波書店／G・W・F・ヘーゲル、熊野純彦訳『精神現象学』ちくま学芸文庫／E・クレッチュマー、内村祐之訳『天才の心理学』岩波文庫／ミシェル・フーコー、田村俶訳『監獄の誕生』新潮社／マルクス・ガブリエル、姫田多佳子訳『「私」は脳ではない』講談社／デイヴィッド・イーグルマン、大田直子訳『意識は傍観者である』早川書房／村上陽一郎『新しい科学論』ブルーバックス／エドワード・サピア、B・L・ウォーフ、池上嘉彦訳『文化人類学と言語学』弘文堂／カール・R・ポパー、M・A・ナッターノ編、ポパー哲学研究会訳『フレームワークの神話』未来社／N・R・ハンソン、村上陽一郎訳『科学的発見のパターン』講談社学術文庫／トーマス・クーン、中山茂訳『科学革命の構造』みすず書房／H・V・クライスト、佐藤恵三訳『クライスト全集 別巻』沖積舎／パスカル、前田陽一他訳『パンセ』中公文庫／R・ローティ、冨田恭彦訳『連帯と自由の哲学』岩波書店

第3部

プラトン、藤沢令夫訳『国家』岩波文庫／西田幾多郎『善の研究』岩波文庫／A・J・エイヤー、吉田夏彦訳『言語・真理・論理』ちくま学芸文庫／アラスデア・マッキンタイア、篠﨑榮訳『美徳なき時代』みすず書房／ニーチェ、原佑訳『権力への意志』ちくま学芸文庫／ノエル・キャロル、森功次訳『批評について』勁草書房／アリストテレス、戸塚七郎訳『弁論術』岩波文庫／アリストテレス、出隆訳『形而上学』岩波文庫／山鳥重『知・情・意の神経心理学』青灯社／ジョン・ロック、大槻春彦訳『人間知性論』岩波文庫／ライプニッツ、米山優訳『人間知性新論』みすず書房／ヒューバート・L・ドレイファス、黒崎政男、村若修訳『コンピュータには何ができないか』産業図書／マット・リドレー、中村桂子、斉藤隆央訳『やわらかな遺伝子』ハヤカワ・ノンフィクション文庫／デイヴィッド・シェンク、中島由華訳『天才を考察する』早川書房／トマス・ネーゲル、岡本裕一朗、若松良樹訳『哲学ってどんなこと？』昭和堂／ユルゲン・ハーバーマス、河上倫逸、平井俊彦訳『コミュニケイション的行為の理論』未来社／グレゴリー・ベイトソン、佐藤良明訳『精神の生態学へ』岩波文庫／ナンシー・フレイザー、アクセル・ホネット、加藤泰史訳『再配分か承認か？』法政大学出版局／アレクサンドル・コジェーヴ、上妻精、今野雅方訳『ヘーゲル読解入門』国文社／ニーチェ、中山元訳『道徳の系譜学』光文社古典新訳文庫／ルネ・ジラール、吉田幸男訳『欲望の現象学』法政大学出版局／ルネ・ジラール、吉田幸男訳『暴力と聖なるもの』法政大学出版局

参考文献一覧

第1部

アリストテレス、桑子敏雄訳『心とは何か』講談社学術文庫／ジョン・R・サール、山本貴光、吉川浩満訳『MiND』ちくま学芸文庫／リチャード・ローティ、伊藤春樹他訳『哲学と自然の鏡』産業図書／信原幸弘編『シリーズ心の哲学III 翻訳篇』勁草書房／デイヴィッド・J・チャーマーズ、林一訳『意識する心』白揚社／トマス・ネーゲル、永井均訳『コウモリであるとはどのようなことか』勁草書房／塚谷裕一『植物のこころ』岩波新書／ルネ・デカルト、山田弘明訳『省察』ちくま学芸文庫／ルネ・デカルト、大出晁他訳『デカルト著作集4』白水社／ギルバート・ライル、坂本百大他訳『心の概念』みすず書房／ダグラス・R・ホフスタッター、D・C・デネット編著、坂本百大監訳『マインズ・アイ 下』阪急コミュニケーションズ／ジョン・R・サール、土屋俊訳『心・脳・科学』岩波書店／ダニエル・C・デネット、土屋俊訳『心はどこにあるのか』ちくま学芸文庫／ダニエル・C・デネット、阿部文彦、木島泰三訳『思考の技法』青土社／ルイージ・ピランデッロ、白沢定雄訳『ピランデッロ戯曲集I』新水社／レーヴィット、熊野純彦訳『共同存在の現象学』岩波文庫／和辻哲郎『偶像再興・面とペルソナ』講談社文芸文庫／カール・マルクス、今村仁司他訳『資本論 第一巻』筑摩書房／ロバート・ルイス・スティーブンソン、百々佑利子訳『ジキル博士とハイド氏』ポプラポケット文庫／ダニエル・キイス、堀内静子訳『24人のビリー・ミリガン』ハヤカワ・ノンフィクション文庫／ジル・ドゥルーズ、宮林寛訳『記号と事件』河出文庫／W・ジェームズ、今田寛訳『心理学』岩波文庫／ウォルター・B・キャノン、宇津木成介訳「ジェームズ・ランゲの情動理論」『近代』100号（神戸大学「近代」発行会）／櫻井武『「こころ」はいかにして生まれるのか』ブルーバックス／アントニオ・R・ダマシオ、田中三彦訳『デカルトの誤り』ちくま学芸文庫／マイケル・S・ガザニガ、梶山あゆみ訳『脳のなかの倫理』紀伊國屋書店／ポール・エクマン、菅靖彦訳『顔は口ほどに嘘をつく』河出書房新社／ダーウィン、浜中浜太郎訳『人及び動物の表情について』岩波文庫／スティーブン・ピンカー、椋田直子訳『心の仕組み』ちくま学芸文庫／リサ・フェルドマン・バレット、高橋洋訳『情動はこうしてつくられる』紀伊國屋書店

第2部

内山勝利編『ソクラテス以前哲学者断片集 第II分冊』岩波書店／プラトン、納富信留訳『パイドン』光文社古典新訳文庫／ド・ラ・メトリ、杉捷夫訳『人間機械論』岩波文庫／高橋和夫『スウェーデンボルグの思想』講談社現代新書／イマヌエル・カント、金森誠也訳『カント「視霊者の夢」』講談社学術文庫／イマヌエル・カント、

nbb
日経ビジネス人文庫

「こころ」がわかる哲学《てつがく》

2023年10月2日 第1刷発行

著者
岡本裕一朗
おかもと・ゆういちろう

発行者
國分正哉

発行
株式会社日経BP
日本経済新聞出版

発売
株式会社日経BPマーケティング
〒105-8308 東京都港区虎ノ門4-3-12

ブックデザイン
小口翔平＋須貝美咲（tobufune）

本文DTP
ホリウチミホ（nixinc）

印刷・製本
中央精版印刷

Printed in Japan ISBN978-4-296-11783-3